• 面向21世纪课程教材 •

（供中医、中西医结合、针灸、骨伤专业本科、研究生用书）

形态学科实验指导

主　编　高书亮　韩立民

编　委（以姓氏笔画为序）

万红娇　刘小敏　李大明

李芳莹　肖　纯　高书亮

韩立民　熊自敏

参加编写人员（以姓氏笔画为序）

万红娇　王民楷　刘小敏

刘金花　李大明　李芳莹

匡　冰　肖　纯　高书亮

黄佩蓓　蒋以号　韩立民

彭泽华　熊自敏

中国协和医科大学出版社

图书在版编目（CIP）数据

形态学科实验指导/高书亮　韩立民主编. —北京：中国协和医科大学出版社，2000. 6

面向二十一世纪课程教材

ISBN 978-7-81072-122-4

Ⅰ. 形…　Ⅱ. 高…　Ⅲ. 形态学-实验-中医学院-教材　Ⅳ. Q13-33

中国版本图书馆 CIP 数据核字（2000）第 27021 号

·面向21世纪课程教材·

形态学科实验指导

主　　编：高书亮　韩立民
责任编辑：林呈煊

出版发行：中国协和医科大学出版社
（北京东单三条九号　邮编 100730　电话 65260431）
经　　销：新华书店总店北京发行所
印　　刷：中煤（北京）印务有限公司

开　　本：787×1092 毫米　1/16 开
印　　张：13.5
字　　数：248 千字
版　　次：2000 年 7 月第一版
印　　次：2018 年 7 月北京第十一次印刷
定　　价：23.00 元

ISBN 978-7-81072-122-4

序

教育部（原国家教委）面向21世纪高等医药教育教学内容和课程体系改革计划——高等中医药院校实验教学改革与实践课题由江西中医学院承担，经过了6个春秋的扎实工作，作为该课题的重要成果——《医学功能学科实验指导》、《形态学科实验指导》、《实验针灸学实验指导》、《实验中医学基础》、《中医药物理实验》、《中医药基础化学实验》出版，实在是可喜之事。

几年来，江西中医学院以邓小平同志建设有中国特色社会主义理论为指导，深化改革，建立与完善了适应中医药院校实验教学需要的管理新模式，改变了长期一贯制的以课程来建立实验室并开设实验课的体制，重点突出了设计性实验和创新实验的设计，改变了传统的教学管理体系和传统的教学手段和方法，计算机模拟手段和CIA辅助教学进课堂进学生宿舍，应该说江西中医学院完成此课题的过程，也是实验教学乃至整个教学改革的深化过程。

中共中央、国务院颁布关于深化教育改革全面推进素质教育的决定之后，实验教学为培养高素质创新人才的作用提到了新的高度，这既是对我们工作的肯定，同时又是对我们工作的鞭策，我们将进一步做好实验教学改革、研究和实践。

这些教材在编写过程中得到了院内专家、兄弟院校专家、中国协和医科大学出版社、教育部高教司领导的热情关怀和支持，在此一并致谢。至于书内瑕疵之处，欢迎指正。

皮持衡

2000年6月

前　言

21世纪是以知识经济为主导的时代，医学教学改革面对着复合型人才的培养，面对着综合素质教育这一新课题，医学课程体系，实验教学设置、体制、内容、手段、方法的改革也势在必行。此教材是作为国家教委21世纪实验教学改革课题中的一项内容，应运而生的。

基础医学形态学科实验涉及人体解剖学、组织胚胎学、医用生物学、病理解剖学、人体寄生虫学，这些学科的实验大部分是形态结构的观察，从大体系统器官到显微的组织细胞，从正常的到病理的，由原来分散的状态综合为一本教材，形成一个较为系统与完整的理论体系。

在编写安排上，总的实验内容分为基本技能训练，验证理论实验，综合设计实验三篇，每篇下分若干章，每章包含数个实验。每个实验基本上按照［目的］［实验材料］［内容和方法］［小结和思考题］的格式编排。

在实验的设置和编写上，主要立意在于加强和培养学生的观察和动手能力，培养学生提出问题、分析问题、解决问题的创新能力；同时培养学生在科学工作中严肃的态度，严格的要求，严密的工作方法和实事求是的作风。此外，结合中医中药理论，在实验设计方法突出中医特色。

此书曾作为内部教材，于1994年出版，供中医、骨伤、中西医结合、推拿等专业使用，已连续使用5年，成为学生良好的教材和参考书。在认真总结经验，适应实验教学改革及课程体系改革的基础上，我们进行了重新编写，增加了基本技能及病理学的有关内容，同时考虑到微生物与免疫学的特殊性，本书不再编入。

本书由长期从事基础医学教学与研究的教师和实验教学人员共同编写。但由于实验教学内容的复杂性以及时间仓促等原因，本书依然可能存在着不妥和错误之处，希望采用本书的教师、学生及有关专家提出宝贵意见，以利进一步完善和提高。

编　者

2000年4月

目 录

第一篇 基本技能训练

第二篇 验证理论实验

第三篇　综合设计实验

附录1　实验规则和注意事项

（一）实验前必须认真预习实验指导，明确实验目的、要求和注意事项，做到心中有数。

（二）上实验课时，必须携带实验讲义、实验指导、实验报告纸及绘图文具，穿好工作衣，按规定座位入座。

（三）实验时要遵守纪律，保持实验室整洁、安静，严禁彼此谈笑喧哗、随意走动、随地吐痰、随地丢纸屑等。应做到态度严谨、思维严密、操作严格的三严作风。

（四）严格完成实验操作规程、仔细观察、独立思考、及时完成实验报告。

（五）爱护实验室仪器、设备及标本等实验用品，若有损坏应及时报告其原因，严禁动用与本次实验无关的仪器设备。

（六）实验结束后，认真清点整理好仪器、药品及其他用品，用毕随时放回原处，打扫实验室卫生，关好水电。

（七）注意安全，严防中毒、触电和火灾等事故，一旦发生应立即报告。

（八）做微生物实验时，要严格遵守无菌操作规程，若发生传染性材料污染环境，应及时报告老师，凡带菌（毒）器材物品或动物等均应按规定放置或处理，不得乱丢、乱洗或擅自带出实验室。

附录 2　显微镜管理制度

（一）实验前 2 周任课教师需把实验人员班级、名单交形态中心实验室。

（二）形态中心实验室应对参加实验的全体学生编号、定座位、定显微镜号。

（三）上课时，学生应严格按显微镜的使用方法和规则使用，带教教师应及时指导，形态中心人员有权监督。

（四）每次上课前学生应检查显微镜，如有损坏或无法使用应及时报告任教教师，填写《显微镜损坏维修情况表》，任课教师把损坏情况报告实验准备人员。

（五）如需更换，经形态中心人员许可后，方可调换，未经同意，不得随意调换显微镜，参加实验准备的实验人员在实验时，应自始至终在实验室，随时解决与显微镜及其他与实验有关的问题。

（六）形态中心人员应找到上一次实验的带教教师和使用显微镜的学生，查找损坏的原因，根据情况给予处理。

（七）每个学期开学前后，形态中心实验室应定期检查显微镜，进行维修及调换。

附录3 形态学科实验的学习方法

形态学科实验很多内容是观察器官、组织、细胞的大体与显微的形态结构及其病理变化。在实习时应注意以下几点学习方法。

（一）多多观察

形态学科实验的实验对象明确、具体、形象化，这是一大特点。因此，只有仔细地多观察尸体、模具、挂图、组织切片等各种实验材料，才能掌握得牢、记得深、学得快。

（二）勤于动手

对于各种实验操作，实验方法，要勤于动手，亲自操作，从最基本、最简单开始，如试管的清洗、普通光学显微镜的使用，逐渐掌握一些较精密仪器的使用，如切片机的操作、高级精密显微镜的使用。操作时要仔细认真，严格按照操作规章进行。只有这样才能真正锻炼自己的实际操作能力，培养严谨的科学作风及良好的工作习惯。

（三）善于思考

在实验时，不仅应注意观察，还应善于思考，充分发挥思维和想象的能力，在思考时主要应抓住以下几个观点：

1. 形态和功能相结合

形态学科实验主要是观察器官、组织、细胞、微生物及寄生虫的形态结构，形态结构和功能是密不可分的，形态结构是功能的物质基础，而功能则是形态结构的活动表现。如经常锻炼的肌肉、骨骼比不锻炼的要粗大，腺体在分泌功能前后，细胞的形态有些变化等。

2. 发展变化的观点

正常的器官、组织、细胞从胚胎发育到出生后，直到老化，形态结构在不断变化，从正常到病理及其病理变化发生的不同时期，形态结构也在不断发展变化，如大叶性肺炎的三个不同时期，组织结构的变化就很明显。应认识这些变化发展的规律，并在实验中去体会和思考。

3. 科学地分析实验中出现的各种现象

由于实验条件和实验手段的局限性，实验的材料与人体的真实情况会出现一定的差异。这些情况应科学地去分析思考。

大体标本的制作一般要经过10%的福尔马林的固定，因此在固定后，器官组织的颜色质地等方面会发生一定的变化，不如活体时新鲜。

组织切片在制作的过程中，需经过很多过程的处理，在处理过程中，使得一些结构发生变化。如脂肪和粘液在一般的苏木精-伊红（H. E）染色中被化学试剂溶解，切片中只看到空泡。

再则切片的材料很小，且只是一个面的结构，因此对组织学切片和病理切片的取材部位和切片的切面要有一定的认识，要处理好局部与整体、平面和立体的关系。

以下简图是说明在器官的组织切片中，由于切片的部位和平面不同所显示的不同形态结构。

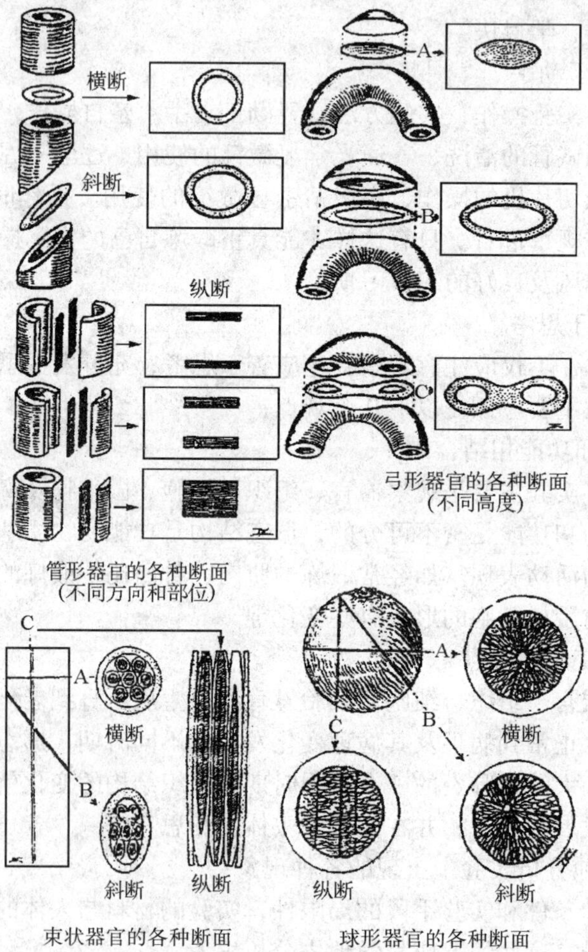

附图 几种器官断面示意图

附录 4　形态学科实验的作业及要求

实习作业主要是根据教师所指定的实习内容进行绘图，实验结果的记录及讨论或思考题解答。以下就绘图的基本方法和要求介绍如下：

（一）工具

彩色铅笔或绘图笔，绘图纸，橡皮，尺，圆规。

（二）方法

1. 选择典型的能足以反映出组织结构特点的镜下结构。

2. 用尺或圆规画出一个大小适当的画面。

3. 构画草图，在上述画面上，用笔按照观察内容的微细结构、大小比例与位置构出一草图。

4. 着色注字，在草图的基础上，进一步用色笔着色，一般苏木精-伊红染色切片，用红色来画胞质及胶原纤维，用蓝色画核。着色时由浅入深，先红后蓝，注意各种成分的染色深浅，绘完后要标明其内容，注字要规整。

5. 方法应灵活，画管性器官，一般是先内后外画，而实质性器官多是由外向内画。

第一篇　基本技能训练

第一章　显微镜的结构和使用

实验一　普通光学显微镜的结构和使用方法

【目的要求】

熟练掌握光学显微镜的使用方法，并了解各零件部位构造。

【实验材料】

普通光学显微镜，香柏油，擦镜纸等。

【内容和方法】

（一）显微镜的构造（图1-1）

机械部分

1. 镜筒支架　是用齿条连接在微动座上，旋转粗动调焦手轮（4）和微动调焦手轮（5）可使目镜筒支架升降。

2. 目镜筒下端的物镜转换器（6）　上有3只螺孔是装物镜用的，旋转转换器可使其中任意一螺孔对准目镜筒。

3. 工作台（8）　上靠近镜筒支架一边有两只压片器是供压紧玻片的，在同一边另有3只十孔是专供装玻片移动尺用的。

4. 粗动调焦机构（4）　是供物镜作粗略调焦用的，旋转粗动调焦手轮可使目镜筒升降，向内转为上升，向外旋转为下降。

5. 微动调焦机构（5）　供物镜作微量调焦用，升降旋转方向与粗动调焦结构相同，微动调焦范围为 1. 8~2. 2mm。

6. 反光镜（11） 为工作台最下方一只可作任意角度旋转的镜，一面为平面，一面为凹面，反光镜可以从镜架上拔出。

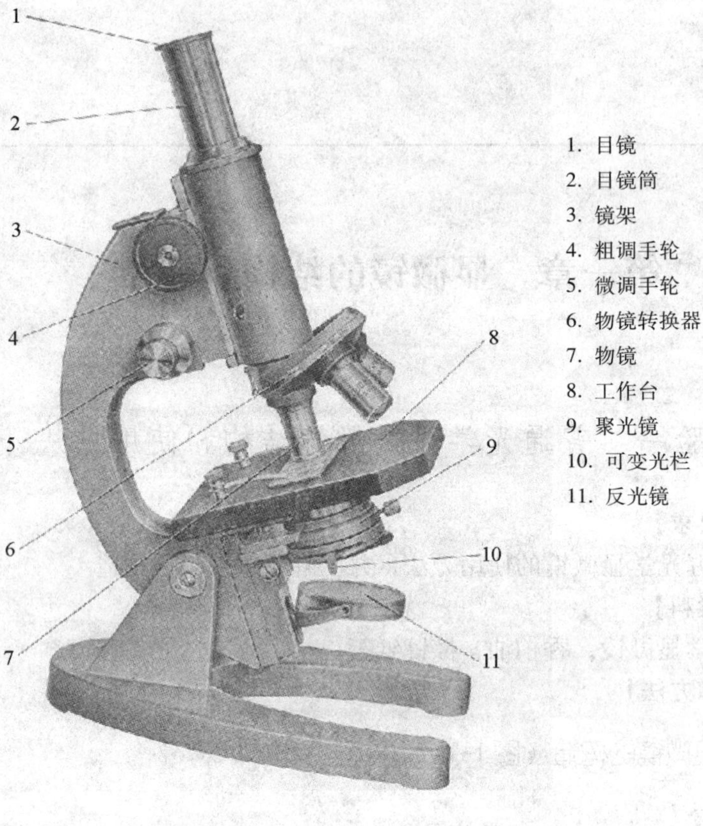

图 1-1 显微镜的构造

光学部分

光学系统由两大部分组成：

1. 成像系统 成像系统由目镜（1）和物镜（7）组成。物镜是用来将标本作第一次放大，然后目镜再将第一次放大的像作第二次放大。

2. 照明系统 照明系统由聚光镜（9）、可变光栏（10）和反光镜（11）组成，反光镜将外来光线导入聚光镜中，然后聚光镜将外来光线会聚在标本上，这样就照明了标本，便于观察。可变光栏是用来在使用不同数值孔径时用的，改变可变光栏的孔径，可以适当调节照明亮度以便观察时获得清晰的物像。

（二）显微镜的使用

1. 提拿　平时存放显微镜橱中，从橱中取出时，一手托镜臂，另一手托镜座。

2. 安放　将显微镜放在自己座位前的实验台上稍偏左侧一点。

3. 对光　转动粗调节器，略为升高镜筒，转动旋转器，使低倍镜对准镜台孔，听到旋转器边缘上的缺刻与固定扣相接合而发生的轻微咔嚓声，说明物镜的光镜已对准了镜筒孔中心，打开光圈，上升聚光器，左眼从目镜中观察，一手转动反光镜，使反光镜正对光源，使光线射入镜筒，并调整到出现光亮均匀的圆形视野为止。

4. 低倍镜的使用　将需观察的标本放在镜台上，用压片器压住标本，再稍稍移动玻片，使要观察的部分对准镜台孔的正中，俯首侧视接物镜转动粗调节轮，使接物镜下降到载玻片 0.5cm 处，然后用左眼观察，用左手将粗调节轮向逆时针方向慢慢上升，使物镜能见到物像为止，此时使用细调节器来回调一下，即可见到清晰的物像。

5. 高倍镜的使用　先在低倍镜下找到物像，把要观察的部位移到视野中央，然后转动转换器，换成高倍镜观察，在高倍镜下来回略略转动一下细调节，就可见到清晰的物像（此时光线暗可上升聚光器）。

6. 油镜的使用　从高倍镜下找到标本的视野中央，移动高倍镜，在标本的玻片上滴上一滴香柏油，然后转换用油镜头，并使镜头浸埋在油中，观察时略为调节一下细调节器，就可见到清晰的图像。观察完毕后上升镜筒，取下标本，用擦镜纸轻轻擦去油镜头上的香柏油，然后再滴上二甲苯在擦镜纸上，擦干净油镜头上的香柏油。

（三）保养与维护

1. 显微镜应放置于阴凉、干燥、无灰尘和无酸碱蒸气的地方。为防止灰尘侵入，不用时可用塑料套把仪器全部罩住。

2. 所有镜头均经过校正，不得自行拆开。如有灰尘沾在镜头上可先用吹风球（洗耳球）将灰尘吹去，再用毛笔拂除，油污可用清洁的软细布蘸二甲苯将镜头玻璃轻轻擦净。

3. 显微镜各机械部分上如沾附灰尘，也应先将灰尘排除，然后用清洁的细软布擦干净，如果是无漆的滑动部分，应随即涂上薄薄一层无腐蚀性的润滑剂。在清洁显微镜时要特别注意不要碰到光学零件，尤其是物镜。

4. 粗动调焦机构如发现太紧或太松时，可用一手握紧一只粗调焦手轮，一手旋转另一支手轮，太紧时将手轮旋松，太松时将手轮旋紧。这时适当地调节，可使调焦机构松紧适宜。

5. 物镜用后必须装入物镜盒中，以防碰损和沾污。为防止灰尘落入镜筒中，用完后将目镜罩装入。

【附】其他几种显微镜简介

一般实验所用的是普通复式光学显微镜。下面介绍几种其他显微镜：

（一）特种用途复式显微镜

普通复式显微镜一般是用常光（自然光）为光源来观察标本，而特种用途显微镜在结构上和使用上都有自身的特点。现简单介绍以下三种：

1. 荧光显微镜　荧光显微镜是利用紫外光（波长 365nm）或短光波的蓝紫单色光（波长 420nm）作为激发光源，激发标本内的荧光物质，而呈现荧光映像。由于紫外光等短光波是不可见光，因此在视野中所见到的是由标本上所辐射的荧光，它与背景的反差很明显。这样可以大大提高物镜的分辨能力，可以观察到用普通显微镜不能见到的物像。荧光显微镜还装有两种滤片，激发滤片装在光源和显微镜之间，它可吸收可见光，并使短波的蓝紫光和紫外线通过；阻断滤片装在物镜和目镜之间，可吸收视野内多余的短光波，保护使用者的眼睛。

2. 相差显微镜　相差显微镜是靠装在物镜内的相位板，使直射光和绕射光发生干涉，改变了光的相位，转换成振幅差（亦即明暗差）。相差显微镜又有正反差和负反差两种装置。前者又称暗反差，是背景明亮标本暗；后者是背景暗标本明亮，但都可造成清晰的对比，便于分辨活体标本和未经染色的标本的各种结构。

3. 暗视野显微镜　又叫限制显微镜。采用暗视野集光器，使来自聚光镜的照明光线不射入到物镜内，并可以得到由标本表面的绕射光而形成的像，达到观察者眼中。因此，当视野中没有标本时，则整个视野全是黑的。这种显微镜可以观察极其微小、正在运动的物体，如螺旋体。

（二）解剖显微镜

为一种单式显微镜，有两个镜筒，光学系统也有反光镜、接物镜和接目镜。放大倍数低者仅 2~3 倍，高者可达 200 倍左右。此种显微镜所得的物像是实体（正像），所以观察的标本有立体感，并可在物镜下进行解剖操作。

实验二 显微测量术和组织细胞形态的观察和测量

【目的要求】

1. 进一步练习使用显微镜。
2. 学会应用细胞显微测量方法，测量组织细胞的大小。
3. 掌握临时玻片标本的制备方法。
4. 观察识别细胞的基本形态。

【实验材料】

装有目镜测微器的光学显微镜，镜台测微器，载玻片，盖玻片，镊子，剪刀，吸水纸，蒸馏水，次甲基蓝溶液，洋葱鳞茎，甲状腺切片。

【内容和方法】

（一）临时玻片的制作

取一张干净的载玻片，用左手拇指和食指夹持载玻片的一端，右手的拇指和食指夹着一块清洁而柔软的布，把载玻片放在两手指夹着的布间，然后均匀地前后移动擦净载玻片的两面。载玻片小而薄，擦时必须小心。擦净盖玻片也是这样。在载玻片中央滴一滴次甲基蓝溶液。取洋葱鳞茎的肉质鳞片一小片，用镊子内口撕下一层透明的薄膜，剪成小块放于载玻片上推平，不要折叠。然后用镊子轻轻夹住盖玻片的一端。将其对侧端先接触载玻片，慢慢地倾斜盖上以防产生气泡，再用吸水纸吸去多余的水分。低倍镜下观察时，应把光圈关小一点，这样观察的结构会更清晰。低倍镜下可见许多长方形的细胞，内有圆形的细胞核，细胞表面有双层轮廓细胞壁。高倍镜下，可见1~3个深黄色的核仁，在细胞质中可看到位于周围、染色很深的微细颗粒，这是细胞质的内含物，在细胞质中占大部分的无色区是液泡。

（二）显微测微尺的用法

显微测微尺分为目镜测微尺和镜台测微尺，两尺要配合使用。

目镜测微尺是一块圆形玻片，直径为20~21mm，中心刻有50或100等分的刻度。每格的长度随不同物镜的放大倍数和镜筒的不同长度而异。使用时放入目镜中。

镜台测微尺是一种被圆形玻片封固在特别载玻片中央的具有刻度的标尺，全长为1~2mm，上有100或200等分的小格，每小格的长度为0.01mm

(10μm)。

显微测量时，先用镜台测微尺标定目镜测微尺每小格代表的长度，然后才能用目镜测微尺测量细胞的长度，具体操作方法如下：

1. 将镜台测微尺刻度向上放在载物台上夹好，并将测微尺刻度调到镜台孔中央。用低倍镜观察，对准焦点，看清镜台测微尺的刻度，每一大格为0. 1mm，每一小格为0. 01mm。

2. 旋下目镜的上透镜，将目镜测微尺有刻度的一面向下，放在目镜内的视场光栏上，再旋上上透镜。

3. 从目镜中观察镜台测微尺和目镜测微尺的分度，转动目镜和移动镜台测微尺，使两尺平行，零点对齐（图 1-2），记录目镜测微尺的全长所对应的镜台测微尺中的格数，或以“0”点开始向右找出两尺另一重合的直线，记录两重合线间两尺各自的格数，再计算出目镜测微尺每格的长度。如在低倍镜下所标定的目镜测微尺的全长（50 倍）等于镜台测微尺 63 格，也就等于 0. 68mm，则目镜测微尺每小格代表的长度为 0. 68mm/50，即为0. 0136（或 13. 6μm）。

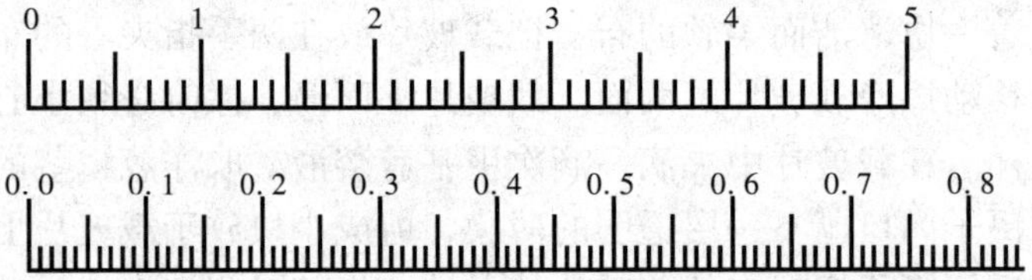

图 1-2　目镜测微器（上）和镜台测微器（下）

4. 取下镜台测微尺，换上临时洋葱装片或者甲状腺切片标本，用目镜测微尺的刻度测量细胞长度的格数，再乘以每格的微米数，即为细胞的实际长度。

如果用不同倍数的物镜与目镜进行显微测量，要重新标定目镜测微尺，方法同前。

注意：测量时应将被测量的标本移放在视野中心，因为在这个位置上镜像最清晰，像差也最小。为减少误差，在测量同一被检物时，要量 5 次以上，并采用其平均值，还需注意视野中的亮度应均匀一致，以免标尺分度左右两侧用的亮度不同而影响测量值的准确值。

根据长度和宽度测量结果可计算各种细胞、细胞核的体积及其与核质的比例，公式如下：

椭球形　$V = (4/3)\pi ab^2$（a、b 为长短半径）

圆球形　$V = (4/3)\pi R^3$（R 为半径）

核质比例 $NP = \frac{Vn}{Vc - Vn}$（Vn 为核的体积、Vc 为细胞的体积）

实验三　参观了解电子显微镜

【目的要求】

通过参观和观看录像，了解电子显微镜的基本结构、原理及其应用。

【内容和方法】

（一）透射电镜的原理

电子显微镜利用波长很短的电子束为照明源，用电磁透镜成像，利用电子流具有波动的性质在电磁场作用下，使电子前进的轨迹产生偏转、聚焦、发放，从而通过对样品透射或反射形成不同电子密度的高度放大图像，最后显示在荧光屏上或记录在照像装置上。

目前最好的电镜分辨可达 0. 2μm，放大倍数可达 80 万倍以上。

（二）透视电镜的结构　（图1–3）

1. 电子光学系统　主体部分，其中包括电子枪（电子发射源）：由阴极、栅极、阳极三个电极组成的静电系统；聚光镜、样品室、物镜、中间镜、投影镜、荧光屏、观察室、照像室等等。作用为对样本进行成像，放大和观察记录。

2. 真空系统　包括机械泵，空气过滤器，油扩散泵及排气管道等部件。主要保持工作时绝对的真空，不允许有任何游离的气体存在。

3. 供电系统　包括安全系统，总调压器，真空电源，透镜电源，高压电源及辅助电源系统。要求工作时极高的稳定性，电流的波动小于分。

（三）电镜的分类

除上面讲的透射电镜外，还有以下电镜：

1. 扫描电镜　是利用一束很细的电子束，在样品的表面扫描，利用反射回来的二次电子为信号，经收集和视频放大器的放大，在显像管的荧光屏上显示标本表面高度放大的图像。其图像为具高度真实感的立体图像，且样品制备简单，不必作超薄切片，因而被广泛应用于细胞表面形态和细胞膜表

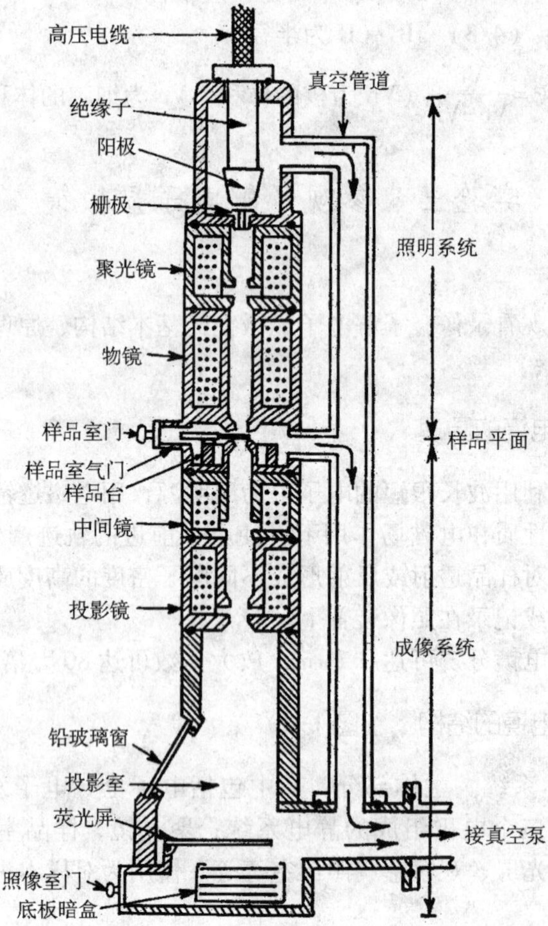

图 1-3　透射式电镜结构

面的研究。

2. 电视电镜　是电视技术和电镜结合的产物。通常在电镜下观察物体的图像亮度较弱，需在暗室条件下进行，而电视电镜则亮度可增加一倍并提高反差。应用于电镜细胞病理集体读片的教学。

3. 超高压电镜　是指电子束的电压在 50 万伏以上的电镜，高的可达 1000 万伏，镜体可达三层楼房的高度，是一大型设备，造价昂贵，主要特点是穿透力强，可观察较厚样品。

（四）电镜标本的制作

超薄切片制备样品的过程分为取材、固定、漂洗、脱水、渗透、聚合、切片、染色等几个环节。其中固定剂通常采用锇酸或戊二醛，以树脂为包埋剂。标本用玻璃刀作超薄切片后，捞取在铜网上，再经铀盐或铅盐染色后即可制成观察标本。

思考题

1. 电镜为什么具有高分辨率？
2. 电镜的主要结构如何？分哪几类？

第二章　组织切片及染色技术

实验一　石蜡切片的制作技术

【目的要求】

了解石蜡组织切片制作的过程，并掌握部分操作。

【实验材料】

大白鼠，甲醛，酒精，二甲苯，石蜡，切片机，烤箱等。

【内容和方法】

就组织学教学切片标本而言，当然以人的材料为佳，而正常而又新鲜的人的材料很难获得，往往采用动物组织来满足教学制片的需要。同时，为了科研工作的顺利开展，实验动物的用量愈来愈大，目前广泛采用的有猫、狗、猴、兔、豚鼠、大白鼠、小白鼠等。

1. 取材　根据自己的需要和要求取材，所取得材料愈新鲜愈好，组织块应力求小而薄，一般以不超过 0.5cm 为宜，这主要是为了固定液迅速而均匀地渗入组织内部。

2. 固定　要制作切片，须先将所取材料进行固定。新鲜材料浸入固定液，细胞被迅速杀死，细胞原来的形状及其构造因而得到保存。固定的时间，一般以 24 小时为宜，但由于气温及组织块大小以及固定液的渗透性等诸方面的影响，固定时间可按具体情况增减。有的几小时，有的长达数日。固定液的种类很多，现只列举几种比较常用的。

（1）酒精（乙醇）　可单独用作固定液，以 95%的浓度为宜。

（2）福尔马林（甲醛）　固定组织时多采用 10%福尔马林液，用福尔马林液固定的材料，固定时间要稍长些，通常固定数天。用福尔马林固定后的材料，要充分用水浸洗。

（3）Bouin 液　其配制法为：苦味酸饱和水溶液 75 份，甲醛 25 份，冰醋酸 5 份。

此液为实验室中常用之固定液。Bouin 液只能现配现用，因为各种成分一旦混合，不立即使用则将失效。固定时间一般为 12~24 小时。

3. 浸洗　固定了的材料，根据固定液的不同，分别用自来水、蒸馏水或 70%酒精浸洗。浸洗的目的在于洗去固定液。经过浸洗后的材料，可浸入 70%酒精中长期保存。

4. 脱水　组织块的脱水，必须循序渐进，逐步升级。经过一系列的不同浓度的酒精，使组织块中的水分逐渐被酒精所代替，一般可从低浓度酒精开始脱水（70%，80%，90%，95%，无水酒精）。脱水时间应与组织块的大小成正比，较大的组织块脱水的时间要延长，而较小的组织块脱水的时间可以相应地缩短。每级酒精中浸 6~12 小时，但无水酒精有脆化组织的作用，所以在无水酒精中不宜浸得过久。

5. 透明　酒精这种脱水剂，不能兼为石蜡的溶剂，此时必须先经透明剂透明，因为透明剂可以溶解石蜡，便于石蜡渗入。透明剂在此不仅有透明溶蜡的作用，同时还有脱酒精的功效。透明剂多为挥发性油类，均是石蜡的良好溶剂，常用的透明剂有二甲苯、氯仿、苯、香柏油或冬青油等，经脱水后的组织，可以直接投入透明剂中，至透明为止。

6. 透蜡　石蜡能溶于透明剂中。把已透明的组织块，投入熔化的各杯蜡中，每杯浸 2~3 小时，可以使透明剂为蜡所代替，组织块内的一切空隙为蜡渗入而填满。

7. 包埋　包埋是将组织包埋于石蜡中，使组织与石蜡在硬度上有适当之配合，以利于切片。包埋时，先折好一纸盒，其大小深浅视组织块的大小而定。将纸盒盛满已熔化的硬蜡，然后从透蜡杯中把组织块取出，放入纸盒的蜡中。组织块放置恰当后，以左右手分持纸盒两端，半浸于冷水中，用口吹气使蜡表面凝结，然后迅速把纸盒全部沉冷水中冷却之。蜡凝结之后，除去纸盒即成蜡块。

8. 切片　用石蜡包埋法包好了的蜡块，需用摇转式切片机进行切片。在切片之前将蜡块切小，只让组织四周剩留一部分石蜡，切时蜡块四边要切平行。然后将切好的蜡块用熔化之石蜡粘在一木块上。将木块装在切片机之筒中，使蜡块被切面与刀口成平行方向，刀和蜡块成一斜角，便可以右手摇动摇柄进行切片。此时，左手持毛笔轻轻拨起切片。若连续切之，则成切片带，每片切片连成一串。切片的厚度，必须依照组织构造及观察目的而决定，一般常切至 6~8μm。

9. 裱片　用滴管滴一些蒸馏水于玻璃板上，镊取一段切片带置于玻璃板的水面上，在酒精灯上徐徐加热，使切片带在水面上自由展开。切片完全展平后，用解剖刀把切片带切成一片一片，然后把每一片用解剖针移至载玻片上，倾去载玻片上的余水，将切片之位置移正，然后放入玻片盒中。

10. 烤干　贴片时利用水使切片展平，但玻片与蜡片之间尚留水分，烤干便是将这些水分用温箱加热除去，使组织在去蜡后依然能够粘在玻片上，若水分未烤干则脱蜡时组织会脱下。烤时的温度也不宜过高，40~45℃较为适当。烤的时间，以彻底烤去水分为原则。

11. 染色　染色的第一个步骤是脱蜡，用二甲苯彻底地溶去切片上的蜡，需10~15分钟。脱蜡之后，再经过各级不同浓度的酒精，由浓度高的酒精渐至浓度低的酒精，即由无水酒精→95%酒精→90%酒精→80%酒精→70%酒精。在每级酒精中，各浸1~5分钟。切片降至70%酒精后，再用蒸馏水浸几分钟，就可以进行染色，切片的染色方法很多，但其中最基本最常用的则是苏木精（hematoylin）-伊红（eosin）染色法，简称为HE染色法：

（1）切片由水中转入明矾苏木精液进行染色（5~10分钟）。

（2）自来水洗去、漂色（10秒钟或稍长）。

（3）1%盐酸酒精分色（几秒钟）。

（4）自来水冲洗（半小时以上）。

（5）按顺序经70%、80%、90%、95%酒精中脱水兼染色（用95%酒精配制成0.1%~1%的伊红液）同时注意调节苏木精与伊红对比色的程度（2~5分钟）。

（6）再转入无水酒精彻底脱水（5~10分钟）。

【附】苏木精染色液配法：

Harrie 苏木精

①液　苏木精　1g

　　　无水酒精　10ml

②液　钾（铵）明矾　20g

　　　蒸馏水　200ml

先将①液用玻棒搅拌使苏木精溶解，再将②液煮沸溶化，去火，速加入①液，再去火，立即加入氧化汞（约0.5g）再煮沸，迅速冷却后加入冰醋酸8ml过滤使用。此液为组织学常用染色液。

12. 透明　切片由无水酒精中取出后，浸入二甲苯Ⅰ初步透明（2~5分钟），再入二甲苯Ⅱ彻底透明（5分钟）

13. 封片　切片由二甲苯中取出，用布把组织四周多余的二甲苯拭净。滴一点树胶在组织上，加盖盖玻片，盖盖玻片时要倾斜地由左边盖在树胶与组织上，慢慢向下放平，这样才不会盖入气泡。

14. 切片封好后，在切片的右侧贴上标签，平放于无灰尘之处，或放在50℃左右的烘箱中烘烤数天，待胶干固后便可使用。

【附】　病理快速石蜡切片法

病理快速石蜡切片有出片块、切片完整而薄、经染色结构清晰、便于快速病理诊断等优点，弥补了常规石蜡切片时间长的不足之处，还可在无冷冻切片的条件下代替冷冻切片，而达到临床上快速病理诊断的目的。

其操作过程如下：下述固定、脱水、浸蜡等步骤都在加温条件下进行，温度可在65～70℃左右，事先应做好准备。

1. 固定　将组织投入快速固定液中（2分钟）。固定液：40%福尔马林10ml，70%乙醇85ml，冰乙酸5ml。

2. 脱水　纯丙酮Ⅰ 2～3分钟，纯丙酮Ⅱ 2～3分钟。

3. 浸蜡　石蜡75～80℃ 2分钟。当脱水组织上浮时要按入蜡中，无气泡冒出为蜡已浸入。

4. 包埋　先预备一块硬蜡块，用加热的鸭咀镊于蜡块中间熔一小部分，再从蜡杯内取出浸蜡组织填入，迅速用冰预冷的载玻片冷压平。

5. 切片　切片贴附后，加温烤干，然后迅速投入二甲苯Ⅰ、Ⅱ酒精中脱蜡，进水。

6. 染色　步骤与苏木精-伊红染色方法相同。

实验二　组织化学和细胞化学技术

【目的要求】

了解组织化学和细胞化学技术的基本原理和步骤，掌握偶氮偶联法显示碱性磷酸酶及Feulgen法显示DNA的原理、方法和步骤。

组织化学和细胞化学技术是利用某些化学试剂与组织内的某些物质发生化学反应，使其最终生成物变为有色沉淀，通过（光学）显微镜可检查出来的技术。它可对组织和细胞内的蛋白质、酶、糖原、核酸等进行定性、定量、定位研究。

组织化学一般需经过组织切片过程，在制作过程中，蛋白质、酶的活性会受到一定的破坏，因此应使用冰冻切片，保持组织新鲜。冰冻切片分为一般冰冻切片、半导体致冷切片和恒冷箱切片。恒冷箱切片有一个恒定的冷室，使组织迅速致冷、冰冻，10分钟内就能制成切片。

（一）偶氮偶联法显示碱性磷酸酶

【原理】

磷酸萘酯被碱性磷酸酶水解释放出萘酚，立刻为重氮盐捕获而成为有色不溶的偶氮染料，在显微镜下可见红色无定形的沉淀。

【实验材料】

恒冷箱切片机，温箱，液氮罐，盐酸对品红，萘酚AS-BI磷酸钠，二甲基甲酰胺（DMF）。

【内容和方法】

1. 溶液的配制

（1）六偶氮对品红溶液

A 液：

盐酸对品红　400mg

蒸馏水　8ml

浓 HCl（36%）　2ml

充分混合直至溶解，过滤。

B 液：

4%亚硝酸钠

临用前 A、B 液等量混合

（2）作用液

萘酚 AS-BI 磷酸钠　10~25mg

二甲基甲酰胺　0.5ml

Tris-HCl 缓冲液，pH8.2~9.2（50ml）

六偶氮对品红

以 NaOH 调 pH 至 9.2~9.4，充分混合，过滤。

2. 步骤

（1）新鲜组织液氮骤冷，恒冷箱切片。

（2）放入（切片）作用液中作用 50~60 分钟，37℃或室温。

（3）蒸馏水洗。

（4）4%甲醛固定 15 分钟~2 小时，室温。

（5）自来水洗、蒸馏水洗。

（6）1%甲基绿（氯仿洗过）5~10 分钟。

（7）甘油明胶封片。

【结果和讨论】

酶活动处出现红色无定形的沉淀，核呈蓝绿色，对比明显，颜色的深浅表示酶活性的强弱。

【注意事项】

（1）加缓冲液到作用液中时，常出现乳状混浊，主要是底物中有游离萘酚 AS，加重氯盐出现红色或蓝色沉淀，是未醋化的萘酚 AS 与重氮盐偶联形成的，过滤后，溶液清明微带红色或绿色。

（2）新鲜冰冻切片固定后进作用液的效果更好。

（3）对照，可用蒸馏水代替萘酚 AS-BI 磷酸钠。

（二）Feulgen 反应法显示蟾蜍红细胞内 DNA。

【原理】

DNA 是遗传的物质基础，主要存在于细胞核中。DNA 的分子结构中带有醛基-CHO，用 HCl 水解，可使醛基释放，再以无色的亚硫酸品红液（Schiff 试剂）染色，使醛基与亚硫酸品红结合，呈现紫红色，这是 DNA 特有的显色反应，称 Feulgen 反应。蟾蜍的红细胞巨大，且有细胞核，因此可清楚地显示出 DNA。

【实验材料】

活蟾蜍，水浴箱，剪刀，镊子，偶氮亚硫酸钠，碱性品红。

【内容和方法】

1. 溶液的配制

（1）1 mol/L HCl

HCl	8.5ml
蒸馏水	91.5ml

（2）亚硫酸氢盐溶液

1%偏重亚硫酸钠	5ml
1 mol/L HCl	5ml
蒸馏水	90ml

（3）Schiff 试剂　蒸馏水 100ml 煮沸后取下，立即放入碱性品红 1g 溶解，冷到 50℃过滤。加偏重亚硫酸钠 2g 及 1 mol/L HCl 20ml，避光放置 18～24 小时，溶液为草黄色。可加活性炭（300mg），用力摇动 1 分钟过滤，此时溶液为清明或浅黄色，贮存 0～5℃。

2. 步骤

（1）取材和涂片　将蟾蜍用乙醚麻醉后，剪开胸腔，打开心包，取心脏血滴一滴在干净玻片一端，以另一玻片的一端紧贴在于已滴血载玻片上，均匀用力，呈 45°角轻轻向前推去，使血液在玻片上涂成一层均匀薄层，制成的涂片室温晾干。

（2）固定　将晾干的涂片浸于 70%乙醇中固定 5 分钟，清水冲净。

（3）水解和水洗　将玻片一张张插在玻片架上，注意玻片正反面，不要搞错。将玻片浸在 1 mol/L HCl 的玻璃缸（Ⅰ）中，室温下水解 2～3 分钟，换至 1mol/L HCl 的玻璃缸（Ⅱ）中，在 60℃水浴箱中水解 8 分钟；再换回玻璃缸（Ⅰ）中，室温下水解 2～3 分钟，取出玻片架放至清水缸中，浸洗 1

~2次。

（4）染色　将涂片依次插入亚硫酸品红染色缸中，室温染色 30 分钟。

（5）清洗　亚硫酸盐溶液洗三次，总时间 3 分钟，流水冲洗 3 分钟，蒸馏水洗。

【结果和观察】

细胞核被染成红色，此即 DNA 在细胞内的分布。观察颜色的深浅及清晰度。

【注意事项】

1. 1 mol/L HCl 应预热到 40℃

2. 试剂的纯度要高，否则影响实验结果

3. 要注意 Schiff 溶剂贮存过程中 SO_2 的丧失及 pH 的改变。

4. 对照，涂片在 Feulgen 反应之前先放 DNase（DNA 酶）液中 4 小时，37℃。

DNase 配制：0.2mTris 缓冲液，pH7.6，10ml+蒸馏水 50ml+DNase10mg。

（三）多糖的组织化学——PAS 反应

【原理】

利用过碘酸（HIO）作用于含有乙二醇的化合物，使之断裂成二个醛基，此反应简称 PAS 反应。醛可以与 Schiff 试剂相结合，生成红色的取代染料而达到定位目的，用显微镜可观察到，后一步原理同 Feulgen 反应。对 PAS 反应的物质主要有糖、粘多糖、粘蛋白及糖蛋白、糖脂、不饱和脂类及酯等。

【实验材料】

石蜡切片机或冷冻切片机，碱性品红，亚硫酸钠，过碘酸等。

【内容和方法】

1. 切片至水。

2. 0.5%~1%过碘酸水溶液氧化 5~10 分钟。

3. 水洗 5 分钟。

4. 用 Schiff 液作用 5~10 分钟。

5. 流水冲洗 10~15 分钟。

6. 投入第一瓶偏重亚硫酸钠 1 分钟。

投入第二瓶偏重亚硫酸钠 2 分钟。

投入第三瓶偏重亚硫酸钠 2 分钟。

7. 流水冲洗 10 分钟。

8. 明矾苏木精 2~3 分钟。

9. 酒精脱水，二甲苯透明，香柏油封固。

【结果与观察】

多糖、粘多糖、粘蛋白等均显 PAS 反应阳性，染色鲜红，颜色的深浅示反应的强弱，胞核染蓝色。

【注意事项】

同 Feulgen 反应。

对照用酵素消化和火棉胶封盖，步骤如下：

1. 切片脱水。

2. 用淀粉酵素（人的涎沫，或 1∶1000 麦芽酵素水溶液）放在切片上，在 37℃温箱内消化 30 分钟。

3. 水洗 5~10 分钟。

4. 先用 90%酒精洗后，再用无水酒精洗 0.5 分钟。

5. 投入 1%火棉胶溶液 2 分钟。

6. 取出待干，放入 80%酒精 5 分钟。

7. 流水冲洗 1~2 分钟。

8. 行 PAS 反应。

结果对照片呈阴性反应。

第三章　游离细胞检查技术

实验一　血细胞计数

【目的要求】

掌握红细胞计数、白细胞计数、血小板计数的方法及操作，了解其临床意义。

【实验材料】

显微镜，血细胞计数板，吸管，计数器，氯化钠，草酸铵等。

【内容和方法】

（一）红细胞计数——显微镜计数法

［原理］

用适当的稀释液将末梢血作200倍稀释后，在特制的计算板上进行红细胞计数，在此稀释液中，白细胞仍保留。一般情况下红细胞与白细胞之比约为600∶1，故白细胞可略而不计。但遇有红细胞减少或白细胞剧多时（如白血病）应加以区分。

［方法］

1. 准确加红细胞稀释液2ml于试管内。

稀释液的配制：

氯化钠　0. 85g

蒸馏水　100ml

混合溶解后，用滤纸过滤备用，也可直接用静脉点滴用生理盐水作稀释液。

用经严格消毒的刺血三棱针在经酒精消毒过的手指（一般用左手无名指）上刺一深浅适度的切口，使血自然流出，或在距切口远处稍加挤压，擦去第一滴血，用校正过的吸血管准确吸血10μl，擦去管尖周围的余血后迅速吹入红细胞稀释液中，立即混匀。

2. 将细胞计算板上的盖玻片盖好，然后用一吸管或小棒将经充分混匀后的混悬液充入计算室盖片之下，充入量应以恰好充满全室为准，不可过多过少，切勿有气泡。

3. 静置 2 分钟，待细胞下沉。用高倍镜计算中央一大格内四角和中心五个中格内的全部红细胞数（包括巨大的和小而不规则红细胞）。对于压在线上的细胞的计数法，一般采用数两边舍两边的方法，凡压在要计数的两条边上的细胞，不管在中格边线以内或以外，一律计算在内。

［计算］

1. 计算室的结构（图 3-1）　计算室共划分为九个大格，每一个大格的面积都是 $1mm^2$，计算室的深度为 0.1mm。故每一大格的容积为 0.1μl（mm^3）。四角的四个大格又划分 16 格。作为计算白细胞之用。中央一大格又分为 25 个中格，每个中格再分为 16 个小格，合计 400 个小格，作为计算红细胞和血小板之用。

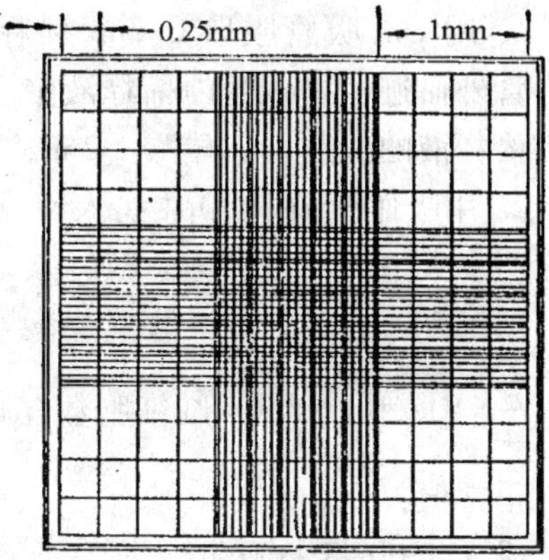

图 3-1　细胞计算板计数格的结构

2. 计算原理及方法　计数时，数中央一大方格中 5 个中格（即 80 个小方格的红细胞数，即数 $1mm^2$ 面积的 80/400（即 0.2），实际容积为 $0.2\times0.1=0.02\mu l$。同时血液经 200 倍稀释，故得式为：

$$N\times\frac{1}{0.02}\times200=N\times1000=\text{红细胞数}/\mu l$$

N=5 个中格中数得到的红细胞数。

正常值：

男（成人）= 420~550 万/μl　换算成新单位为（4.2~5.5）$\times10^{12}$/L

女（成人）= 380~490 万/μl　换算成新单位为（3.8~4.9）$\times10^{12}$/L

［临床意义］

红细胞减少　见于各种贫血，重症寄生虫病，白血病，产后、手术后或大量失血后。

红细胞增多　真性红细胞增多症、假性红细胞增多症、休克、严重呕吐及腹泻、严重烧伤及脱水、慢性心肺疾病、慢性一氧化碳中毒、长期居住高山者。

（二）白细胞计数

[原理]

用稀酸溶液溶解红细胞，剩余的为白细胞，再按计算红细胞相似的方法计数。

[方法]

1. 用1ml吸管吸取0.2ml稀释液于康氏度管中，自手指吸取血10μl，拭去管外血迹，加入管内稀释液中混匀。

稀释液的配制：冰醋酸　2ml，蒸馏水　98ml。

2. 用吸血管吸取10μl注入计算池内，静置2分钟后，以低倍镜计算四角之四个大格内的白细胞总数，乘以50即得$1mm^3$（μl）血液内白细胞数。

[计算]

$\frac{N}{4}\times10\times20=N\times50=$红细胞数/μl

正常值：

成人4000~10000/μl　换算成新单位为（4.0~10.0）$\times10^9$/L

婴儿6000~18000/μl　换算成新单位为（6.0~18.0）$\times10^9$/L

[临床意义]

白细胞增高　生理性增高见于新生儿，妊娠，剧烈运动，饮酒及饭后等。病理性增高见于急性化脓性感染（如化脓性脑膜炎、大叶性肺炎、阑尾炎、扁桃体炎、脓胸、败血症）以及其他细菌感染。此外，白血病、手术后、尿毒症、酸中毒、烧伤等亦常见白细胞增多，尤以慢性白血病增高最多，可达几十万/μl。

白细胞减少　见于某些传染病（伤寒、黑热病、疟疾、流感、传染性肝炎等），尤以再生障碍性贫血、粒细胞减少症最为严重。肝硬化、脾功能亢进、药物过敏时白细胞数也都有不同程度地减少。

（三）血小板计数

[原理]

以低渗溶液或溶红细胞的物质、少量抗凝剂和防腐剂组成的稀释液，溶去红细胞，留下血小板，再按红细胞计数的方法计数。

[方法]

1. 在小试管内加入血小板稀释液0.38ml。

稀释液的配制：草酸铵　1g，EDTA二钠　0.12g，加蒸馏水至　100ml。

用刻度吸管吸取手指血 20μl 立即吹入稀释液内，迅速摇匀。

2. 取上述混悬液 10μl 注入计算室内，静置 15 分钟左右，待血小板完全下沉。为防止水分蒸发，可用培养皿将计算板盖住，并在计算板旁放两个湿棉球。

3. 按计算红细胞的方法，数 5 个中方格内之血小板数，乘以 1000，即得每微升血液之血小板数。

[计算]

$$N\times\frac{1}{0.02}\times200=N\times1000=\text{血小板数}/\mu l$$

正常值：10~35 万/μl 换算成新单位为：(100~350) $\times10^9$/L

[临床意义]

血小板减少　见于原发性血小板减少性紫癜、系统性红斑狼疮、弥散性血管内凝血、某些药物中毒或过敏、再生障碍性贫血、各种急性白血病、脾功能亢进、阵发性睡眠性血红蛋白尿。

血小板增多　见于血小板增多症、脾摘除后（一时性）、骨折、出血和手术后等。

实验二　腹腔肥大细胞的观察

【目的要求】

掌握腹腔细胞悬液的制备，肥大细胞的染色及观察技术。

【实验材料】

大白鼠，剪刀，镊子，止血钳，中性红，吸管，试管等。

【内容和方法】

（一）腹腔细胞悬液的制备

1. 乙醚麻醉动物。
2. 剪开皮肤，于腹腔内注射生理盐水 5ml（37℃）。
3. 轻揉腹部 1 分钟。
4. 打开腹腔。
5. 用吸管尽可能吸取腹腔液于试管中，此试管液即为腹腔细胞悬液。

（二）腹腔肥大细胞的染色

1. 取 1 滴腹腔细胞悬液于载玻片上。

2. 涂片、晾干。

3. 以0.125%中性红（100ml 无水酒精加0.125g 中性红粉）染色1分钟。

4. 镜检。

【结果】

正常的腹腔肥大细胞为圆形或椭圆形，胞质中充满大量的异染性颗粒，粉红色，大小一致。胞核较小，常被颗粒所覆盖。

有时所见少量的颗粒脱落于细胞外，或细胞内颗粒减少，细胞边缘不齐。此为肥大细胞脱颗粒。

实验三　血液涂片的制作技术

【目的要求】

掌握血液涂片的制作方法和过程。

【实验材料】

载玻片，大头针，75%酒精浸湿脱脂棉球，瑞氏染液，缓冲液或蒸馏水。

【内容和方法】

（一）采血

由于制作的血液标本用血量极少，一般多自耳垂或指尖采血。先用75%酒精浸湿脱脂棉球擦采血部位，然后用消毒过的针扎入皮肤，使血外流（如果血液不畅，可在采血部位稍加揉擦，以使局部充血而增加血流量）。

（二）涂片

取流出的第二滴血，滴在一干净载玻片的右端。另用一载玻片的末端斜置在第一块载玻上的血滴的左缘，成30~40°角，将第二块载玻片稍向后退，使它接触到血滴，迅速地将沾有血液的载玻片向前推进，推片时速度要一致。载片间夹角要适当，推片的厚薄与夹角的大小成正比，这样制作的涂片标本，由于表面张力的关系，大型细胞多分布于涂片的两侧，此点必须注意。

（三）染色

先用蜡笔将涂片两端画一盖玻片大小染色区，避免染色液外逸。

1. 待血片干燥后立即用瑞氏染液固定兼染色4~5分钟（3~4滴即可，以盖住染色区为度）。

2. 滴加等量蒸馏水或缓冲液，染色5~10分钟。

3. 蒸馏水或自来水冲洗。

4. 吸水纸吸干或置于染色架上自然干燥。

5. 不加盖片或用中性树胶加盖片封固。

【结果】

红细胞——浅紫红色。

核——深蓝色或紫色。

嗜碱粒细胞的胞浆颗粒——深紫色。

嗜酸粒细胞浆颗粒——红色或红黄色。

中性粒细胞胞浆颗粒——浅紫色。

淋巴细胞胞浆——天蓝色。

单核细胞胞浆——天青色。

【附】 染色液的配制，血涂片的染料有多种，下面简介瑞氏染色液。

瑞氏（Wright）染液配法：取粉末状瑞氏染料0.1g溶于50ml甲醇中，经一周后即可染色。为了避免涂片上产生沉淀，染前过滤于滴瓶中使用，因滴瓶的滴管口径不变，便于掌握且方便。

第四章　人外周血细胞培养及染色体制作方法

【目的要求】

了解人外周血淋巴细胞的短期培养方法；了解人染色体玻片标本的制作方法。

【实验材料】

1. RPMI1640（TC199 或 F_{10}均可）培养液，小牛血清，1%植物血凝素（PHA），500U/ml 肝素，10μg/ml 秋水仙素溶液，5%碳酸氢钠溶液，0. 075mol/L 氯化钾溶液，1mol/L 盐酸，三蒸水，青霉素，链霉素，吉姆萨染液，pH6. 8 磷酸缓冲液，冰醋酸，甲醇。

2. 超净工作台（或无菌操作箱），恒温培养箱，4000r/min 离心机，真空泵，抽滤瓶，抽滤漏斗 G_5 或 G_6，刻度离心管，培养瓶，注射器及针头，消毒用酒精棉球与碘酒棉球，载玻片，长吸管。

【内容和方法】

（一）无菌操作的要领和要求

由于体外培养细胞缺乏机体抗感染功能，所以在一切操作过程中要努力做到最大限度的无菌，防止污染。

1. 培养前准备　为做好培养前用品的充分准备工作，宜根据实验内容的要求收集好已消毒的所需用品，清点无误后置于超净工作台内，这样可避免操作开始以后由于用品不全，往返取物而增加污染机会。

2. 超净工作台消毒　打开紫外线杀菌灯照射消毒 20~30 分钟，然后关闭紫外灯，打开风机，流入的空气是经过菌板过滤的空气，工作台内可保持无菌环境。为防止培养细胞和细胞液等受到紫外线照射，消毒前应预先放在带盖容器内或在操作时随时携入。

3. 洗手、洗刷整个手臂肘部，然后用 0. 2%新洁尔灭擦洗或用 75%酒精棉球擦拭。

4. 火焰消毒　无菌操作过程中，首先要点燃酒精灯，此后一切操作如安装橡皮头，打开或关闭盖（塞）等都要经过火焰烧灼或在火焰接近处进行，金属器械不能烧灼时间过长，烧过的用具都要待冷却后再接触组织或细胞。

（二）人外周血淋巴细胞培养

1. 培养液的配制和分装

（1）培养液的配制　PRMI16400 粉剂 10.4g，碳酸氢钠 2.0g，溶于 1000ml 三蒸水中，用抽滤法除菌。

RPMI1640 培养液　80ml

小牛血清　　　　20ml

青霉素　100U/ml（可不用）

链霉素　100U/ml（可不用）

以上试剂均为无菌，并在无菌条件下，将上述溶液混匀，用 5% $NaHCO_3$ 或 1mol/L HCl 溶液（灭菌）调整培养液 pH 至 7.2~7.4。

（2）分装　在无菌条件下，将上述调整好 pH 的培养液，分装于培养瓶中，每瓶 5ml。冷冻保存。

使用前，每瓶临时加入 1%植物血凝素（PHA）0.2~0.5ml，用注射器及 5 号针头滴入 2 滴 50U/ml 肝素/每瓶，摇匀。

2. 培养

（1）采血和培养　用灭菌注射器抽取少许肝素润湿针筒，然后将多余的肝素弃去。常规消毒被检者肘部皮肤，从肘部静脉采血 1ml，分装于两个有培养液的培养瓶中，每瓶装入全血 0.5ml，摇匀，静置于 37~38℃恒温培养箱中，作好标记，培养 68~72 小时。

（2）秋水仙素处理：终止培养前 4~6 小时加入 10μg/ml 秋水仙素 0.2ml，使最终浓度为 0.4μg/ml。轻轻摇匀，放回培养箱中，继续培养 4~6 小时。

（三）人染色体玻片标本的制作

1. 低渗处理

（1）收集细胞　用吸管将培养物混匀，并移至 10ml 刻度离心管内，以 1000r/min 离心 8 分钟。

（2）低渗处理　吸去上清液，加入预热 37℃的 0.075mol/L KCl，用吸管打匀，放回 37℃温箱中，静置 30 分钟。

2. 固定

（1）预固定　低渗 15 分钟后，加入新配制的固定剂（冰醋酸：甲醇＝1：3）1ml，打匀。静置 15 分钟后，以 1000r/min 离心 8 分钟。

（2）固定　除去上清液，加入固定剂 8ml，打匀。静置 30 分钟以上。以

1000r/min 离心 8 分钟，除去上清液，视细胞数量的多少，加入 1ml 左右固定剂，制成细胞悬液。

3. 制片

（1）滴片　用吸管将上述细胞悬液 3~4 滴，滴于浸泡在冰水中的清洁载玻片上，随即吹气，使细胞散开，以火焰烘干或自然干燥。

（2）染色　用吉姆萨染液染色 20~30 分钟。自来水冲洗，干后镜检。

第五章　玻璃器皿的消毒和清洁法及常用试剂的配制

实验一　玻璃器皿的消毒和清洁法

【目的要求】

掌握玻璃器皿的洗涤、消毒方法。

【实验材料】

试管，烧瓶，吸管，培养皿，刷子，肥皂，洗衣粉，煤酚皂，重铬酸钾等。

【内容和方法】

（一）新购玻璃器皿的处理

新购玻璃器皿应先用热肥皂水洗刷，流水冲洗，再用1%~2%盐酸溶液浸泡，以除去游离碱，再用水冲洗。对容量较大的器皿如试剂瓶、烧瓶或量具等，经清水洗净后应注入浓盐酸少许，慢慢转动，使盐酸布满容器内壁数分钟后倾出盐酸，再用水冲洗。

（二）污染玻璃器皿的处理

1. 一般试管或容器可用3%煤酚皂溶液或5%石炭酸浸泡，再煮沸30分钟，或在3%~5%漂白粉澄清液内4小时，有的亦可用肥皂或合成洗涤剂洗刷使尽量产生泡沫，然后用清水冲洗至无肥皂为止。最后用少量蒸馏水冲洗。

2. 细菌培养用的试管和培养皿可先行集中，用1kg/cm^2 高压灭菌15~30分钟，再用热水洗涤后，用肥皂洗刷，流水冲洗。

3. 吸管使用后应集中于3%煤酚皂溶液中浸泡24小时，逐支用流水反复冲洗，再用蒸馏水冲洗。

4. 油蜡沾污的器皿，应单独灭菌洗涤，先将沾有油污的物质弃去，倒置于吸水纸上，100℃烘干半小时，再用碱水煮沸，肥皂洗涤，流水冲洗。必要时可用二甲苯或汽油去油污。

5. 染料沾污的器皿，可先用水冲洗，后用清洁或稀盐酸洗脱染料，再用清水冲洗，一般染色剂呈碱性，所以不宜用肥皂的碱水洗涤。

6. 玻片可置于3%煤酚皂溶液中浸泡，取出后流水冲洗，再用肥皂或弱碱性煮沸，自然冷却后，流水冲洗。被结核杆菌污染或不易洗净的玻片，可置于清洁液内浸泡后再冲洗。

（三）清洁液的配制法

1. 重铬酸钾清洁液　可根据不同需要，选用表5-1所列的任何一种浓度。

表5-1　重铬酸钾清洁液的配制

配方	1	2	3	4	5
重铬酸钾（g）	80	60	200	60	100
粗浓硫酸（ml）	100	90	500	460	800
水（ml）	1000	750	500	300	200

先将重铬酸钾溶于水中，再慢慢加入浓硫酸。注意，此时可产生高热，应防止容器破裂。重铬酸钾清洁液除污力强，腐蚀性大，应避免接触皮肤和衣服。为防止吸收空气中的水分而变质，此液应贮存于带盖的容器中。如清洁效力较差，可再加入少量重铬酸钾及浓硫酸，还可继续使用。直到液体变蓝绿色，即不能再用。

配制重铬酸钾清洁液时，宜用耐高温的陶瓷缸或耐酸搪瓷或塑料容器。使用玻璃器皿时，应特别注意防止产生高热而破裂，切忌用量筒来配制。

2. 磷酸三钠　将其配成5%～10%水溶液，可用于洗涤玻璃器皿上的油污，但经常使用腐蚀玻璃，使器皿表面模糊、毛糙。

3. 硝酸清洁液　将其配成50%水溶液。可用于清洁微量滴定筒。

4. 乙二胺四乙酸二钠（EDTA钠盐）　将其配成5%～10%水溶液，可洗脱粘附于玻璃器皿内壁的白色沉淀物。

5. 尿素溶液　尿素是溶解蛋白质的良好溶剂，适用于洗涤粘附有血液血清等蛋白质的吸管、试管等。

实验二　常用试剂的配制

【目的要求】

掌握常用试剂的配制方法。

【实验材料】

天平，量筒，量杯，试管，吸管及试剂等。

【内容和方法】

(一) 试剂配制的程序及方法

1. 首先要将试剂的组成和数量写好，仔细核算无误后再行称量。

2. 取到试剂后应核对瓶签是否合乎规定要求，切勿草率。尤其是外文瓶签有时仅一个字母之差而药物却各异，如不注意核查，极易混淆。同时还要注意观察药物是否变质，有无潮解、风化、变色等现象，是含结晶水还是无结晶水等。

3. 各种试剂的称量要准确，根据要求不同，可用粗天平、较精细的天平（如扭力天平）或分析天平称量。如用分析天平称量，应先将用钮力天平称一下，以节省时间。有时如配一种单纯的要求不太高的试剂，可将一定量的溶质先准确称好，以后按溶质的量加入规定量的溶剂，这样可以加快配制速度。例如配制3.8%枸橼酸钠500ml左右时，可先称枸橼酸钠接近量先称量，如为16.2g，则水加至量可按下式计算16.2÷3.8×100=426.3ml。

这样可用量筒或定量取水（加至）400ml，余下的26.3ml用吸管加入。

4. 称药所用的器皿可用表面皿，称量瓶或不吸水的清洁纸张，如玻璃纸、蜡纸等。不可用污秽的或会吸水的纸称量。比较精确的称量不可用手直接取放称量瓶或纸张，因手指可能有油污、汗等沾附，从而增加重量。可戴手套或以专用的钳子取放。

5. 试剂称妥后，一般应置于烧杯内，加入少量水溶解，用玻璃棒搅拌后将玻璃棒紧靠烧杯口，使溶液沿玻棒流入定量瓶，以少量的水洗涤烧杯，一并加入定量瓶内，最后加水至刻度。

6. 为了工作方便和提高试剂质量，一般实验室将有些试剂先配成浓溶液，或称贮存液。使用时再用水稀释后者叫应用液。

7. 试剂配制过程中尚应注意下项事项　①一般溶液均应以蒸馏水或离子交换水配制，特殊注明者例外；②试剂应根据平时需要量配制，一般不要配得过多，以免积压浪费或过期失效；③试剂一经取出，一般不宜放回原瓶，以免因吸管或药匙不洁而沾污整瓶试剂；④配制试剂所用的玻璃器皿应十分清洁，最后一次均应用蒸馏水洗涤；⑤试剂瓶签上要写明名称、浓度，必要时注明配制日期，瓶签应粘牢，不可污染或脱落；⑥试剂用后要加塞盖紧，塞子不可沾染桌面上的污物，玻璃塞应对号配好，不可漏气，强碱试剂宜用塑料瓶，如用玻璃瓶，塞上应涂以凡士林，以防日后塞子打不开。

（二）溶液浓度的表示法

1. 百分浓度

重量/容量百分浓度（W/V）：即每 100ml 溶液中所含溶质的重量，例如 g%等，用于溶质为固体的溶液，是医学检验中最常用的浓度表示法。

容量/容量百分浓度（V/V）：即每 100ml 溶液中所含溶质的毫升数，多用于溶质为液体的溶液，如各种不同浓度的酒精溶液等。

重量/重量百分浓度（W/W）：即每 100g 溶液中所含溶质的克数，如过氧化氢溶液即以此法表示。

2. 克分子浓度（mol/L）　在 1000ml 溶液中含有以克分子量计算的溶质的浓度叫克分子浓度。例如磷酸苯二钠［$Na_2(C_6H_5)PO_4$］的分子量为 218. 08，故取磷酸苯二钠 218. 08g 加水溶解至 1000ml，即为 1mol/L 磷酸苯二钠溶液。若取磷酸苯二钠 2. 1808g 加水溶解至 1000ml，即为 0. 01mol/L 溶液。

3. 当量浓度（N）和毫克当量浓度（mmol/L、mEqx/L）　在 1000ml 溶液中含有以克当量计算的溶质，这种浓度叫做当量浓度，含有以毫克当量计算的溶质的浓度叫做毫克当量浓度。各种物质当量的计算法。

酸的当量=分子量÷酸分子中可被金属置换的氢原子数

碱的当量=分子量÷盐分子中金属原子数×金属的化合价

氧化还原物质的当量=分子量÷每一分子失去或得到的电子数

目前主张一律采用克分子（或毫克分子、微克分子）/升的形式表示。

【附】

当量氢氧化钠的配制：用大三角杯先配制 50%氢氧化钠 1000ml，当氢氧化钠加入水中时要不断搅拌，并将烧杯置于冷水中，以免烧杯因氢氧化钠溶解产生高热而破裂，静置数日，待碳酸盐类沉淀后，取上清液 100ml 加入 1000ml 量筒中，以水稀释至刻度，以 0. 1%酚酞作指示剂，用当量草酸校正。例如：当量的草酸溶液 10ml 滴定时消耗氢氧化钠溶液 9. 5ml 则 950ml 此氢氧化钠溶液需加水多少 ml 才成当量溶液？

可按下式计算：

滴定时取标准酸（碱）液量÷滴定时消耗碱（酸）液量×未标定的碱（酸）液总量-未标定的碱（酸）酸总量=需加水量

即：10÷9. 5×950-950=50ml

　　加 50ml 水使成当量溶液。

（三）常用碱当量的配制（表 5-2）。

表 5-2　常用碱当量溶液的配制

碱	化学式	分子量	当量	比重	%	实际含量（g/ml）	约相当于当量数	欲配当量溶液 1000ml 时所需 ml 数
氨水	NH_4OH	35.05	17（NH_3）	0.9	28（NH_3）	0.25（NH_3）	15	67
氢氧化钠	NaOH	40.0	40	配制方法见前述				
氢氧化钾	KOH	56.1	56.1	配制方法同 NaOH				

标定方法	浓度计算
用已知浓度接近的标准酸液进行标化，吸取标准酸液 10ml 滴加酸酞指示剂 2 滴，用碱液滴至淡红色为终点	$碱当量=\frac{酸当量\times酸体积}{碱体积}$

（四）常用酸当量溶液的配制（表 5-3）。

表 5-3　常用酸当量溶液的配制

酸	化学式	分子量	比重	百分浓度% W/W	实际含量 g/ml	约相当于当量数	欲配当量溶液 1000ml 时所需 ml 数
冰醋酸	CH_3COOH	60.08	1.06	99.6	1.06	17.5	57
磷酸	H_3PO_4	98.00	1.71	85.0	1.45	15、30、45（依反应而定）	67（以 15 当量计）
盐酸	HCl	36.46	1.19	37.6	0.44	12	83
硝酸	HNO_3	63.02	1.42	70.0	0.99	16	64
硫酸	H_2SO_4	98.0	1.84	97.0	1.78	36	28

标　定　方　法	浓　度　计　算
用已知浓度相近的标准碱液（当量碳酸钠液）进行标化；吸取标准碱液 10ml，加甲基橙指示剂 1 滴，用酸滴定至终点（红色）	$酸当量=\frac{碱当量\times碱体积}{酸体积}$
甲基橙指示剂	甲基橙（pH3.4~4.4）在酸性溶液中呈红色，碱性溶液中呈黄色。0.1%的水溶液，每 10ml 标定液中加 1 滴

（五）常用计算公式

1. 百分浓度（W/W）与当量浓度的换算

百分浓度＝当量浓度×分子量÷比重×10×化合价

当量浓度＝百分浓度×比重×10×化合价÷分子量

例：浓度为38%，比重1.16的盐酸（分子式为HCl，分子量36.5），其当量浓度是多少？

38×1.16×10×1÷36.5＝12.07

该盐酸当量浓度为12.07

2. 毫克百分浓度（W/V）与毫克当量/升［mmol/L（mEq/L）］浓度的换算（人体中的电解质浓度多用毫克当量/升表示，有的也用毫克%表示，其换算关系如下）

毫克当量/升＝毫克%×10×原子价÷原子量

毫克%＝毫克当量/升×原子量÷10×原子价

例：322毫克%的钠是多少毫克当量/升？

322×10×1÷23＝140毫克当量/升（mEq/L）

3. 百分浓度（W/V）与克分子浓度的换算

克分子浓度＝百分浓度×10÷分子量

百分浓度＝克分子浓度×分子量÷10

例：0.1克分子磷酸氢二钠（$Na_2HPO_4 \cdot 12H_2O$，分子量358.2）溶液，换算成百分浓度是多少？

0.1×358.2÷10＝3.35%

4. 当量浓度与克分子浓度的换算

当量浓度＝克分子浓度×化合价

克分子浓度＝当量浓度÷化合价

例：0.1当量硫代硫酸钠（$Na_2S_2O_3 \cdot 5H_2O$）溶液，其克分子浓度是多少？

因硫代硫酸钠与碘反应中 $I_2+2Na_2S_2O_4=Na_2S_4O_3+2NaI$

两个 $S_2O_3^{-2}$ 离子被氧化成一个 $S_4O_6^{-2}$ 时，失去两个电子，

则化合价为1，所以0.1当量硫代硫酸钠溶液即为0.1克分子浓度。

（六）常用缓冲液的配制

缓冲原理　在某些溶液中加入酸性或碱性物质时，其氢离子浓度改变甚微，此种溶液称为缓冲液，这种维持pH恒定的作用称为缓冲作用，具有缓冲作用的物质称为缓冲剂。

缓冲剂的成分多为弱酸及该弱酸与强碱所成之盐，或弱碱及该弱碱与强酸所生成之盐。两种物质按不同的配比可组成各种不同pH值的缓冲对。

常用缓冲剂的配制见表5-4~表5-9。

表5-4　(1/15mol/L)磷酸盐缓冲液

18℃ pH	1/15mol/L 磷酸二氢钾(KH_2PO_4)(9.08g/L)	1/15mol/L 磷酸氢二钠(Na_2HPO_4)(9.47g/L)	18℃ pH	1/15mol/L 磷酸二氢钾(KH_2PO_4)(9.08g/L)	1/15mol/L 磷酸氢二钠(Na_2HPO_4)(9.47g/L)
5.4	97.0	3.0	7.0	38.9	61.1
5.6	95	5	7.2	28.2	71.5
5.8	92.2	7.8	7.4	19.6	80.4
5.9	90.1	9.9	7.6	13.2	86.8
6	88	12	7.8	8.6	91.4
6.2	81.5	18.5	7.9	6.8	93.2
6.4	73.5	26.5	8.0	5.5	94.5
6.6	62.5	37.5	8.1	4.2	95.8
6.8	50	50.5	8.2	3	97
6.9	44.6	55.4			

表5-5　(0.1mol/L)磷酸盐缓冲液

18℃ pH	磷酸二氢钾(KH_2PO_4)(9.08g/L)	磷酸氢二钠(Na_2HPO_4)(9.47g/L)	18℃ pH	磷酸二氢钾(KH_2PO_4)(9.08g/L)	磷酸氢二钠(Na_2HPO_4)(9.47g/L)
5.29	9.75	0.25	6.81	5	5
5.59	9.5	0.5	6.98	4	6
5.91	9	1	7.17	3	7
6.24	8	2	7.38	2	8
6.47	7	3	7.73	1	9
6.64	6	4	8.04	0.5	9.5

表5-6　硼砂-硼酸缓冲液

18℃ pH	0.05mol/L 硼砂 $Na_2B_4O_7\cdot 12H_2O$ (19.11g/L)	0.2mol/L 硼酸(H_3BO_3)(12.4g/L)	18℃ pH	0.05mol/L 硼砂 $Na_2B_4O_7\cdot 12H_2O$ (19.11g/L)	0.2mol/L 硼酸(H_3BO_3)(12.4g/L)
6.77	0.30	9.70	8.41	4.50	5.50
7.00	0.60	9.40	8.60	5.50	4.50
7.36	1.00	9.00	8.69	6.00	4.00
7.6	1.50	8.5	8.84	7.00	3.00

表 5-7 （0.2mmol/L）碳酸钠-重碳酸钠缓冲液

pH	0.2mol/L 碳酸钠（无水）（21.2g/L）	0.2mol/L 碳酸氢钠（16.8g/L）	蒸馏水
9.2	4	46.00	150
9.4	9.5	40.5	150
9.6	16.0	34.0	150
9.8	22.0	28.0	150
10.0	27.5	22.5	150
10.2	33.0	17.0	150
10.4	38.5	11.5	150
10.6	42.6	7.5	150

表 5-8 磷酸缓冲生理盐水

pH	1.5mol/L NaCl（NaCl87.66g/L）	0.5mol/L 磷酸氢二钠（$Na_2HPO_4$70.94g/L）	10mol/L 磷酸二氢钠（$NaH_2PO_4 \cdot H_2O$138.881g/L）	蒸馏水加至
6.0	100	32	184	1000
6.2	100	62	196	1000
6.4	100	112	144	1000
6.6	100	160	120	1000
6.8	100	190	104	1000
7.0	100	240	80	1000

表 5-9 常用指示剂的配制

名称	pH 感应界	颜色变更 酸色—碱色	稀释 0.1g 指示剂所需 0.002mol/L NaOH（ml）	加蒸馏水的量（ml）	最后总量（ml）
甲基红	4.2~6.3	红→黄	—	25.0	25
溴甲酚紫	5.2~6.8	黄→紫	9.3	15.7	25
溴麝香草酚蓝	6.0~7.6	黄→蓝	8.0	17.0	25
酚红	6.8~8.4	黄→红	14.00	11.0	25

附：化学试剂的规格，一般分为四级（附表）。

附表 化学试剂的规格

级别	名称	简写	纯度和用途
一	优级纯	GR	纯度高，杂质含量低，适用于研究和配制标准液
二	分析纯	AR	纯度较高，杂质含量较低，适用于定性，定量分析
三	化学纯	CP	质量略低于二级，用途同上
四	实验试剂	CR	质量较低，比工业用高，用于一般定性检验
	生物试剂	BR	用于生化研究和检验试剂
	生物染色素	BS	主要用于生物组织学，细胞学和微生物染色

（七）常用染色液的配制

1. 瑞氏染色液

瑞氏染料 0.1g　　甲醇（AR）60ml

将瑞氏染料放在清洁干燥的乳钵里，加少量甲醇，边加边磨，使染料溶解，将已溶解的染料倒入棕色瓶中，未溶解的再加少量甲醇研磨，直至溶解全部染料。或将瑞氏染料和甲醇直接置于玻瓶中（棕色），加小玻璃球适量，立即用力振摇 5 分钟，置室温中连续 3 天，每日振摇三次，使其溶解，配好后在室温放置一周即可使用。放置时间越长染色效果越好。

2. 吉姆萨染色液

吉姆萨粉剂 0.5g　　中性甘油（CP）33ml　　甲醇（AP）33ml

先将粉剂加入清洁研钵中，加入甘油后研磨，再置于 55~60℃水浴中经常用玻棒搅拌，使粉剂溶解，约 2 小时后再加入甲醇混合，密闭后可长期保存，染色时以 pH6~8 的缓冲液或新鲜蒸馏水 10 份，加染色液 1 份，染色前新鲜配制。

3. 革兰染色液

（1）结晶紫液　结晶紫 14g 溶于 95%酒精 100ml 中即成饱和液，取 20ml 与 1%草酸铵水溶液 80ml 混匀后可使用。

（2）卢戈碘液　碘化钾 2g 溶于 100ml 蒸馏水中，再加碘 1g 溶解后加蒸馏水至 300ml 即成。

（3）95%酒精溶液　化学纯即可。

（4）石炭酸稀释复红液　①碱性复红 4g 溶于 95%，酒精 100ml 中成饱和液。取 10ml 与 5%石炭酸溶液 90ml 混匀即成；②取上液 10ml 加入蒸馏水中 90ml 即成石炭酸稀释复红液。

4. 抗酸染色液

（1）石炭酸复红液　取碱性复红酒精饱和液 10ml 加入 5%石炭酸水溶液 90ml 中混匀。

（2）3%盐酸酒精　浓盐酸 3ml 中入 97ml 酒精内。

（3）1%碱性美蓝液　取美蓝乙醇饱和液 30ml，加入 100ml 水及 10%氢氯化钾水溶液 0.1ml 混合即成，抗酸菌呈红色，其他细菌呈蓝色。

5. 鞭毛染色液

（1）液　钾明矾饱和水溶液　20ml
　　　25%鞣酸水溶液　10ml
　　　95%乙醇　15ml
　　　蒸馏水　10ml
　　　碱性品红乙醇饱和液　3ml

将上述各溶液混匀，静置 2~3 日，过滤后备用，可保存一周。

（2）液　美蓝　0.1g
　　　硼砂　1g
　　　蒸馏水　100ml

标本片制法：取经 37℃孵育 16 小时的肉汤浸液培养物 2ml，加等量灭菌蒸馏水混匀，以 2000r/min 离心沉淀 10 分钟，吸去上清液。沉淀物再加蒸馏水 4ml，同上法离心沉淀，如此反复 3~5 次。然后用接种环取此经洗涤的沉淀物，迅速涂在玻片上。置 37℃孵箱内干燥。

方法：将上述细菌涂片上，滴加（1）液染 10 分钟，轻轻用水洗去。再加（2）液复染 2 分钟，水洗，待干后镜检。菌体呈蓝紫色，鞭毛呈紫红色。

6. 荚膜染色液

（1）液　结晶紫乙醇饱和液　5ml
　　　蒸馏水　95ml

（2）液　20%硫酸铜水溶液

【方法一】　细菌涂片干燥后，经乙醇固定。滴加（1）液后，加微热至发生蒸气染 1 分钟。再用（2）液将涂片上的染料洗去，切勿再用水洗。以吸水纸吸干后镜检，菌体呈紫色，荚膜为淡紫色或无色。

【方法二】　亦可使用墨汁染色，方法是取标本或少许培养物于玻片上，必要时加少许盐水混匀。加墨汁一小滴，混匀后加盖玻片，用油镜检查，结果背景为黑色，荚膜可呈现明显的透明圈。

7. 芽胞染色液

（1）石炭酸复红溶液

(2) 95%乙醇

(3) 碱性美蓝溶液（同抗酸染液）

方法：已固定细菌涂片上滴加（1）液，加微热染5分钟，水洗。用（2）液脱色2分钟，水洗。再用（3）液复染1分钟，水洗，干后镜检。芽胞呈红色。

（八）其他常用溶液的配制

1. pH8.6、0.05mol/L巴比妥—巴比妥钠缓冲液

巴比妥钠	10.3g
巴比妥	1.84g
蒸馏水加至	1000ml

2. Hanks液配制　先配成甲、乙两种原液

甲液	NaCl	160g
	$MgSO_4 \cdot 7H_2O$	2g
	KCl	8g
	$MgCl_2 \cdot H_2O$	2g
	双蒸馏水	800ml

另 $CaCl_2$ 2.8g 溶于100ml双蒸馏水中。

将上二溶液混合后加蒸馏水至1000ml，加2ml氯仿作防腐剂，保存于4℃冰箱。

乙液	$Na_2HPO_4 \cdot 12H_2O$	304g
	KH_2PO_4	1.2g
	葡萄糖	20g
	双蒸馏水	800ml

另：0.4%酚红液　100ml

将上二液加入双蒸馏水至1000ml，加入2ml氯仿作为防腐剂。保存于4℃冰箱。使用时按下面比例配成。

原液甲	1份
原液乙	1份
双蒸馏水	18份

以9磅10分钟灭菌，保存于4℃冰箱，可使用1个月。

3. 水解乳蛋白Hanks营养液的配制

Hanks液　1000ml

水解乳蛋白　5g

配成0.5%之水解乳蛋白溶液，分装小瓶以9磅10分钟灭菌，使用前再加入5%~10%无菌牛血清，并调整pH（用$NaHCO_3$）。

4. 0.25%胰蛋白酶溶液的配制

胰酶　2.5g

Hanks使用液　1000ml

青霉素　10ml（最终浓度100U/ml）

链霉素　10ml（最终浓度100U/ml）

加胰酶和抗生素于Hanks液中，振荡使其溶解，加压过滤除菌，分装，-20℃低温备用，一瓶最好用一次，不宜反复冻融。

5. 阿氏（Alserver）血细胞保存液

葡萄糖　2.05g　　枸橼酸钠　0.8g　　氯化钠　0.42g　　蒸馏水　100ml

将上述成分混入蒸馏水中，略加温将其溶液分装、包扎，49.3kPa（8磅）灭菌15分钟备用。

6. 肝素抗凝剂配制法　称取肝素钠粉剂1g溶于1000ml蒸馏水中，每毫升含肝素1mg，取0.5ml于试管中，37~50℃烘干可抗凝血5ml。

肝素抗凝能力强，不影响血细胞的体积，是一种较理想的抗凝剂，但过量的肝素可引起红细胞凝集，故不宜用于红细胞计数。

7. 0.5%鸡血球悬液的配制　采取鸡全血，加入阿氏（Alserver）血细胞保存液中，存入4℃冰箱可放数日。使用时将抗凝全血以1500r/min离心5分钟，弃上清液，反复用生理盐水洗涤三次，再置于刻度离心管内，以1500r/min离心5分钟，吸去上清液，再加入适量生理盐水使配成0.5%血细胞悬液。此种悬液应试验之日配制。

8. 兔或人血浆的制备　①吸取无菌3.8%枸橼酸钠溶液1ml，置于无菌试管中；②从兔心脏或人肘静脉采血10ml置上述试管中，充分混匀，防止血凝；③经低速离心沉淀后，吸取上层不含血细胞的液体为血浆。

9. 溶壁微球菌菌液的制备　将溶壁微球菌接种于普通琼脂斜面上，37℃培养24小时，收集菌苔，称重，用pH6.4磷酸盐缓冲液配成100mg/ml菌液，经70℃水浴1小时杀菌置冰箱备用。

10. 含药滤纸片的制备

（1）选用优质的滤纸（国产新华滤纸），用5号或6号铅字涂以黑色油墨，印上药物名称，如青霉素印上“青”字，然后用打孔机扎成直径6ml的圆形滤纸，每100片置于一小瓶或平血内，包装后高压灭菌，烘干备用。

(2) 将抗生素或其他抗菌药物配成一定浓度，如链霉素每 ml 含 1000μg，青霉素每 ml 含 1000U，按每 100 滤纸片加上述浓度的药物 1ml，浸泡后，真空干燥，置冰箱保存，备用。但要注意有效期。

11. 2.5%碘酒的配制

碘　　　　2.5g

碘化钾　　2.5g

蒸馏水　　25ml

95%酒精　75ml

先将碘化钾溶于少量的蒸馏水内，并将碘加入摇匀，使碘溶于碘化钾溶液内。加酒精 75ml，待碘完全溶解后，再加蒸馏水至 100ml。

用于皮肤等消毒。

12. 甲基红试剂

甲基红粉剂　0.1g

95%酒精　300ml

蒸馏水　200ml

将甲基红溶于 95%酒精中，再以蒸馏水稀释至 500ml。

供甲基红试验用。

13. 吲哚试剂

对二甲基氨基苯甲醛　5g

戊醇或丁醇　75ml

浓盐酸　　　25ml

将对二甲基氨基苯甲醛与戊醇混合，置 50～60℃水浴中过夜，次日取出，徐徐滴入浓盐酸边流边加摇动，配成后置暗处保存。

供吲哚试验用。

第二篇　验证理论实验

第六章　医用生物学

实验一 家兔的解剖

【目的要求】

初步掌握解剖哺乳动物的基本操作方法，辨认家兔主要器官系统的形态和自然位置，掌握哺乳动物的主要特征，为医学实验提供必要的实验动物知识。

【实验材料】

家兔骨骼整装标本及散装标本，活家兔，兔各器官系统示教标本，解剖剪，解剖镊，解剖刀，解剖针，解剖盘，骨剪，注射器，血管钳，线绳，纱布，注射针头。

【内容和方法】

（一）兔的骨骼（图6-1）

观察家兔骨骼系整装标本。家兔骨骼可分为中轴骨骼和附肢骨骼两部分。

1. 中轴骨骼

（1）头骨　分为脑颅和咽颅。

脑颅：背面自前至后可看到鼻骨，额骨，顶骨，顶间骨和上枕骨。侧面自前至后可看到颧骨，鳞骨和鼓骨，中耳即在鼓骨内。腹面可见枕骨大孔，

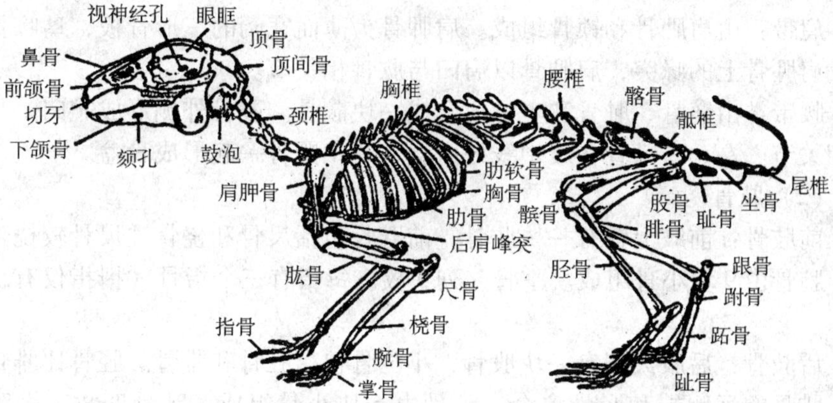

图 6-1　兔的骨骼系统

它由后面的基枕骨，两侧的外枕骨和背面的上枕骨围成。孔的两侧有对枕髁，与第一颈椎的前关节凹成关节。

咽颅：兔的上颌由前颌骨和上颌骨构成。前颌骨上有上门齿，上颌骨之上有上前臼齿和上后臼齿。腭骨位于上颌骨腭突的后方。前颌骨的腭突，上颌骨的腭突以及腭骨的腭突形成次生硬腭。

兔的下颌骨由一对齿骨组成。每侧齿骨前端有门齿，中部有前臼齿和臼齿。下颌骨与脑颅的鳞骨相关节。

（2）脊柱、肋骨和胸骨　家兔的脊柱明显地分化为颈椎、胸椎、腰椎、骶椎和尾椎五部分，椎骨之间有椎间盘隔开。试从颈部开始观察脊柱的各部分。

颈椎：7 枚。最前枚分化为寰椎及枢椎。寰椎前与头骨的枕髁相关节，后与枢椎相关节。注意枢椎的齿状突伸入寰椎孔内。

胸椎：12 枚。胸椎二侧与肋骨相连，肋骨前端接胸骨（直接或间接）。胸骨分 6 节，前面最大的一节为胸骨柄，中间四节构成胸骨体，最后一节为剑胸骨，终止于圆形的剑胸软骨。前 7 对肋骨直接与胸骨相连，称为真肋；后 5 对肋骨不直接与胸骨相连，称为假肋。

腰椎：7 枚。有强大的横突和棘突。

髓椎：四枚骶椎互相愈合成一块骶骨。骶骨上有耳状关节面与腰带骨相关节。

尾椎：约有 14 枚。

2. 附肢骨骼

（1）肢带

肩带：由肩胛骨和锁骨组成。肩胛骨为薄而宽阔的三形骨板，乌喙骨退化成肩胛骨上的喙突，肩胛骨以肩臼与肱骨相关节。

腰带：由髂骨、耻骨和坐骨愈合成一块髋骨。髋骨外侧形成髋臼，与股骨相关节。左、右髓骨在腹中线处联合，并发骶骨一起形成骨盆。

（2）肢骨

前肢骨：前肢上臂有一块肱骨，前臂骨包括尺骨和桡骨。尺骨较桡骨发达。腕骨由9块小骨组成。掌骨一列5枚。每指有三个指骨（拇指仅有二指骨）。

后肢骨：后肢大腿有一块股骨，小腿骨包括胫骨和腓骨。胫骨比腓骨粗大。腓骨的远侧端和胫骨愈合。趾骨由6块小骨组成。趾骨四枚。大趾退化，只有四趾，每趾各有三枚趾骨。

（二）兔的外部形态

兔全身被毛，分头、颈、躯干、四肢和尾5部分，口喙有哺乳动物特有的唇，上唇中央有一纵裂，故常微微分开露出门齿，称兔唇。有能动的鼻。眼有能活动的上下眼睑，在眼的前角尚有不发达的瞬膜。耳壳极长，能灵活转动，耳壳是哺乳动物特有的构造。头后有明显的颈部。躯干分胸、腹两部分，雌兔身体腹面有乳头4~5对，躯干的末端有尾，在尾的基部下面有肛门，肛门前方有生殖器。用手翻检生殖器，可分辨雄性的阴茎与雌性的阴门。雌性在肛门前有泌尿生殖孔，呈稍宽缝状开口于阴门。雄性的泌尿生殖孔小，位于阴茎末端。成年雄兔在阴茎基部两侧有阴囊，在交配期中睾丸从体腔移入阴囊。家兔前肢短，有5指，后肢长，有四趾。指（趾）端有爪。

（三）解剖方法

先用空气栓塞法处死家兔。在兔外耳边缘找到耳静脉，用抽空注射器向向心方向注入空气，使血管栓塞而致死，然后进行观察。

把已处死的兔腹面朝上，四肢分开，用线绳固定在解剖盘上。用湿布湿润整个腹中线处，并向两侧展开，用解剖镊提起生殖器前方的皮肤，用剪刀从这里沿中线剪开皮肤至下颌部。左手提起切口右侧边缘，右手用解剖刀自前至后把皮肤与其下面的肌肉分离。用同法剥离左侧的皮肤，将两侧皮肤翻开，露出腹面肌肉。

剖开腹腔，用镊子提起腹壁肌肉，用剪刀沿腹中线剪开腹壁（注意剪刀尖应稍向上，以免伤及内脏），至肋骨后缘，再沿肋骨向两侧剪成横切口，以暴露内部器官。此时先观察腹腔内器官的自然位置。

腹腔浅表有体积大而分叶的肝，呈褐色。囊状的胃位肝的左后方，胃的左后方有一狭长红褐色的脾。其余则见迂回盘曲的大、小肠，较细的为小肠，粗大具螺旋纹的为盲肠，具结肠袋的是结肠。稍拨开肠，寻找肾脏、膀胱等器官，并注意其与附近器官的毗邻关系。

剖开胸腔：用解剖剪小心地剪去胸部肌肉，暴露出肋骨和通往四肢的粗大血管。用骨剪依次剪断所有肋骨，注意在剪断第一肋骨时不要剪破附近的血管。然后再剪开肌肉，剪断与胸廓及膈的联系。将剪开的胸廓翻向上方，小心剥离其下的器官，最后取下胸廓，暴露出胸腔内的心脏和肺。

清理颈部：用解剖镊剥离颈部的结缔组织，并用解剖剪剪开颈部腹中线上的肌肉，暴露出气管、喉及在气管前端腹面和两侧的甲状腺。再向两侧剥离皮肤。暴露出在耳廓部的腮腺（耳下腺）和下颌后内缘的一对颌下腺。注意不要损伤颈部的大血管。

（四）内脏观察

1. 消化系统（图 6-2）

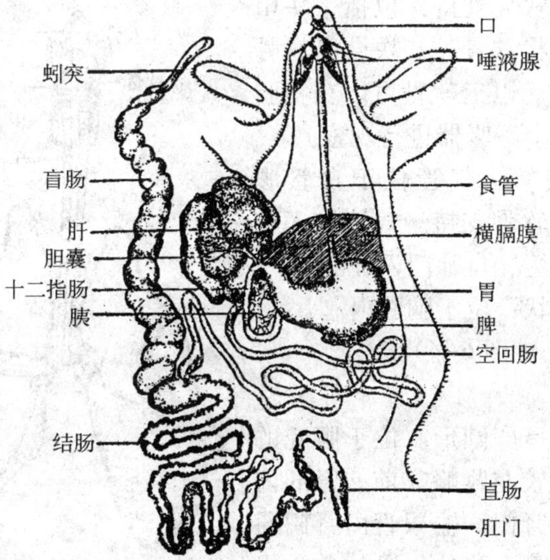

图 6-2　兔的消化系统

口腔：顶壁前部为硬腭，后部柔软称软腭，上、下颌上的齿分为门齿，前臼和臼齿。无犬齿，在前齿和臼齿之间形成空隙叫犬齿虚位。

咽：位口腔之后，其背壁有一对肉鼻孔，腹面有喉口（可以看到白色的会厌软骨），咽后通食管。

胃管和胃：食管沿气的背壁后进行入胸腔，贴脊柱，与背主动脉相邻，并穿过膈进入腹腔，与胃相连。胃为白色囊状构造，它与食管相连处为贲门，与十二指肠相连处为幽门。胃的左后缘有条暗红色的脾（属淋巴器官）。

小肠：十二指肠与胃的幽门相连，形成十二指肠，后接空肠与回肠。空肠与回肠分界不明显。回肠的末端通入圆囊。圆囊是小肠与大肠会合之处。

大肠：盲肠自圆囊发出，为暗绿色螺旋纹粗大的肠。末端变细叫蚓突（阑尾）。结肠在盲肠的起始部发出，具结肠袋。结肠之后有直肠。末端通肛门。

消化腺：

肝：呈棕褐色，分五叶。右侧中叶有一长形胆囊，胆囊管与肝管汇成胆总管通入十二指肠的起始部。

胰：散布在十二指肠系膜上，粉红色。胰管通入十二指肠。

唾液腺：有肋腺、颌下腺、舌下腺和眶下腺。

2. 呼吸系统（图 6-3）

喉：由数块软骨支持，包括一块甲状软骨，一块环状软骨，一块会厌软骨和一对杓状软骨（以上软骨可以在实验结束时，取下整个呼吸器进行观察）。

气管和支气管：气管位于食管腹面，由许多环状软骨支持。气管进入胸腔后分成两支气管，自肺门入肺。

肺：呈海绵状，位于胸腔内。

3. 尿殖系统（图 6-4）

（1）泌尿系

肾：一对，呈卵圆形。位于腹腔的脊柱两侧。右肾较左肾略靠前。肾的内侧向内凹陷称为肾门。输尿管由肾门通出，伸向后方。肾上腺位于肾的前方内侧。

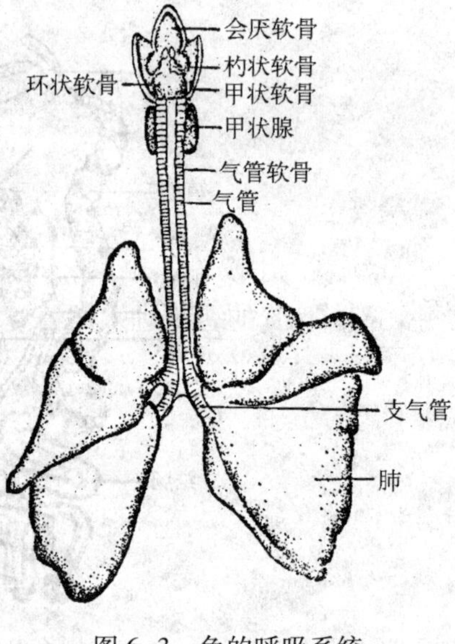

图 6-3　兔的呼吸系统

输尿管：一对白色细管，自肾门发

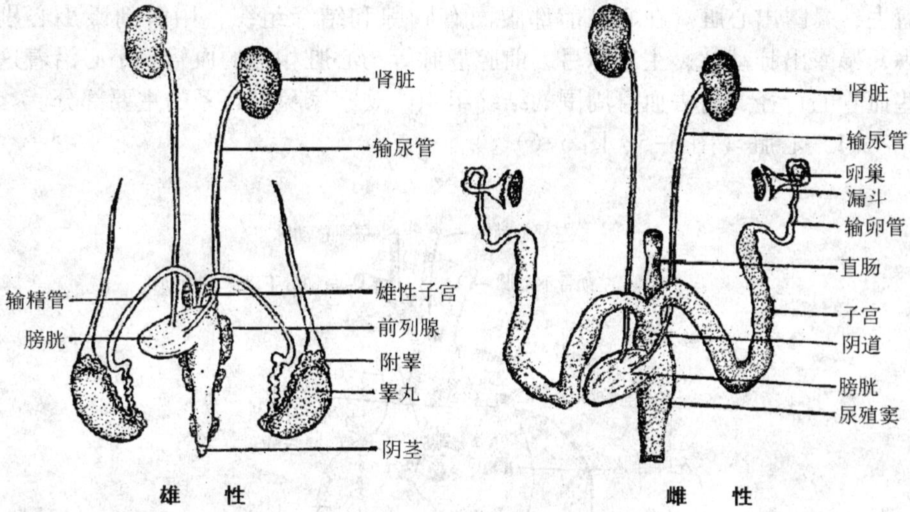

图 6-4　兔的尿殖系统

出沿脊柱两侧后行，通入膀胱基部。

膀胱：为腹腔后部一梨形的囊。膀胱后端变窄为颈部，颈部转而为尿道。雌兔的尿道短，开口于阴道前庭。雄兔的尿道长，其远端部分包囊在阴茎中。

（2）生殖系

雄性生殖系：

睾丸：一对白色椭圆体，位阴囊内。

附睾：附于睾丸外背侧，分别为附睾头、附睾体和附睾尾。

输精管：附睾尾接输精管，两侧输精管向前分别进入腹腔，绕过输尿管腹侧，沿着膀胱的背壁进入贮精囊。

贮精囊：扁平囊状，位于膀胱背面，向后开口于尿道。

雌性生殖系：

卵巢：一对，位于腹腔后部背壁上，常埋于脂肪组织中，在卵巢表面可见大小不一的卵泡。

输卵管，子宫：输卵管为一对白色细长弯曲的管道，位卵巢外侧，其前端由喇叭口开口于卵巢附近，后部膨大为子宫，兔为双子宫。

阴道：呈管状，一对子宫分别开口于阴道前部，阴道之后为阴道前庭，以阴门开口于体外。

4. 循环系统（图 6-7） 用解剖镊小心提出心脏外的心包膜，用剪刀剪去，暴露出心脏。在心脏前部腹面有胸腺和结缔组织，用解剖镊小心剔去，暴露出肺动脉，主动脉弓，前腔静脉等与心脏相连的血管。小心沿着这些血管的行径，清去血管周围的结缔组织，观察家兔循环系的主要部分。

（1）心脏（图 6-5、图 6-6）

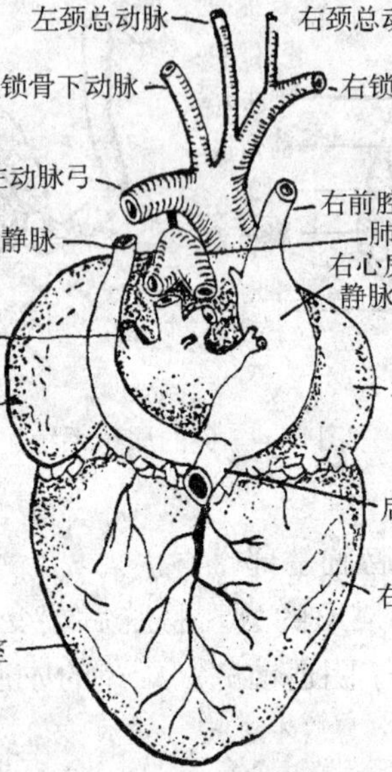

图 6-5 兔心脏（腹侧面）

左、右心房位于心脏前部，左、右心室位于心脏后部，心室壁的肌肉发达。肺动脉自右心室发出，主动脉自左心室发出，左、右前腔静脉和后腔静脉回右心房，肺静脉回左心房。

心脏内部构造留待各器官系统观察完毕后进行观察。

（2）动脉系

肺动脉：从右心室发出后弯向背方，随即分成两支肺动脉。

主动脉：从左心室发出，向前弯向心脏的左背方，形成弓状的主动脉弓。主动脉弓自右至左依次向前分出三支动脉：无名动脉、左颈总动脉和左锁骨下动脉；无名动脉随即又分出右颈总动脉和右锁骨下动脉，无名动脉主干弯向背侧后，沿脊柱后行，成背主动脉。背主动脉在胸腔发出若干对肋间动脉后即穿过横膈，在腹腔中发出许多分支，由前向后依次是：

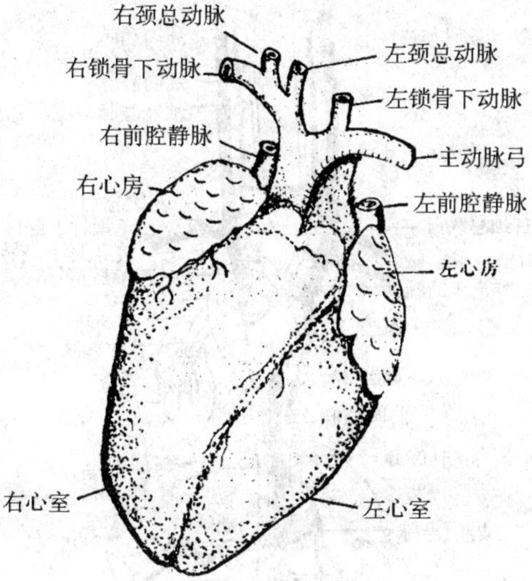

图 6-6　兔心脏（背侧面）

①腹腔动脉：约在胸骨后 2cm 处发出（把胃拉向右方即可找到）。其分支分布到肝、脾、胃和十二指肠开始部分。

②肠系膜前动脉：约在腹腔动脉后方 1cm 处发出。其分支沿肠膜分布在十二指肠、空肠、回肠、盲肠和结肠等处。

③肾动脉：左、右两条，右肾动脉较左肾动脉短而靠前。

④生殖腺动脉：一对极细的动脉，雌性分布到卵巢，雄性分布到睾丸。

⑤肠系膜后动脉：也是一条较细的动脉，沿直肠系膜分布到直肠的后端。

⑥髂总动脉：背主动脉分出以上血管后，分为两支，即左、右髂总动脉。各髂总动脉随即又分支入盆腔（髂内动脉）及后肢（髂外动脉）

⑦尾动脉：背主动脉分为髂总动脉之前，在其背面向后分出一尾动脉，分布到尾部。

（3）静脉系　用解剖镊将心脏提起并翻向右侧，可见从左侧前方来的一条粗大血管，即左前腔静脉。它从心脏的背方绕过左心房进入右心房。向前追寻左前腔静脉，可见它分别接受下列从身体前部回心脏的主要静脉。

①左颈外静脉：位于颈外侧皮肤下一条最粗大的静脉，接受由头部及颜面来的静脉血。

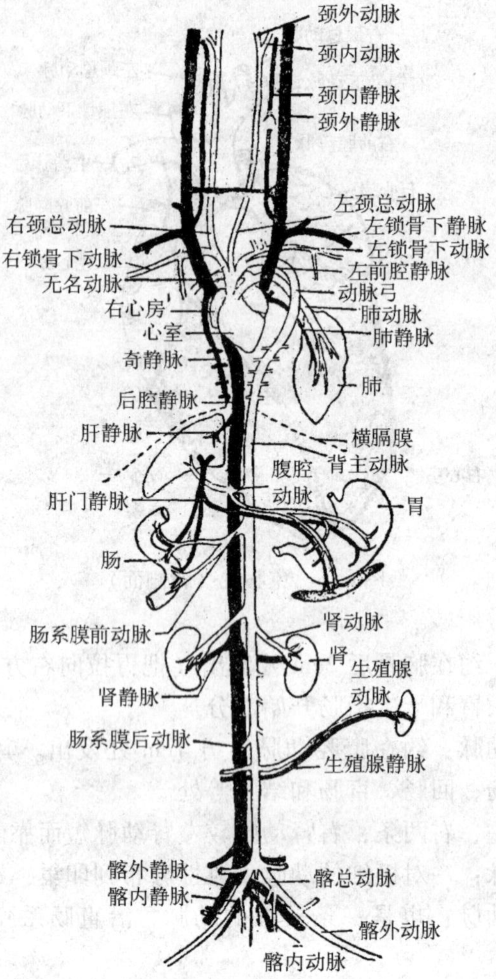

图 6-7　兔的循环系统

②左颈内静脉：接受脑部的静脉血，是一条很细小的静脉。它沿气管两胸后行，注入颈外静脉。

③左锁骨下静脉：接受来自前肢的静脉血。

右前腔静脉分别接受来自右颈外静脉、右颈内静脉和右锁骨下静脉的静脉血，右前腔静脉也在右心房背面进入右心房。

轻轻提起心尖并翻向前方，可见一条粗大自后向前的后腔静脉进入右心房。将消化系统翻向右侧，在腹腔中可以看到后腔静脉与背主动脉伴行，接受下列从身体后端回心脏的主要静脉，从后方向前依次为：

①髂总静脉：收集从后肢盆区和腹壁等处来的静脉血汇入后腔静脉。

②肾静脉：自左、右肾脏通入后腔静脉，各接受一支肾上腺静脉。

③肝静脉：肝脏来的静脉血由一对短的肝静脉送入后腔静脉。

将肝翻向前方，把其他内脏翻向左侧，可见来自消化系统的静脉（胃脾静脉，肠系膜前静脉，肠系膜后静脉等）汇集成一条粗大的肝门静脉，通入肝脏。

仔细观察来自左、右肺的静脉，前后腔静脉，取出心脏。把心脏放在盛水的器皿中，沿左右房室间的腹纵沟两侧分别剪开左心室和右心室，用清水冲洗去心脏内的积血，可以看到左心房与左心室之间有房室孔相通，并且有瓣膜（二尖瓣），右心房与右心室之间也有瓣膜（三尖瓣），注意寻找三尖瓣和二尖瓣，在肺动脉和主动脉的出口处也有半月形的瓣膜（半月瓣）

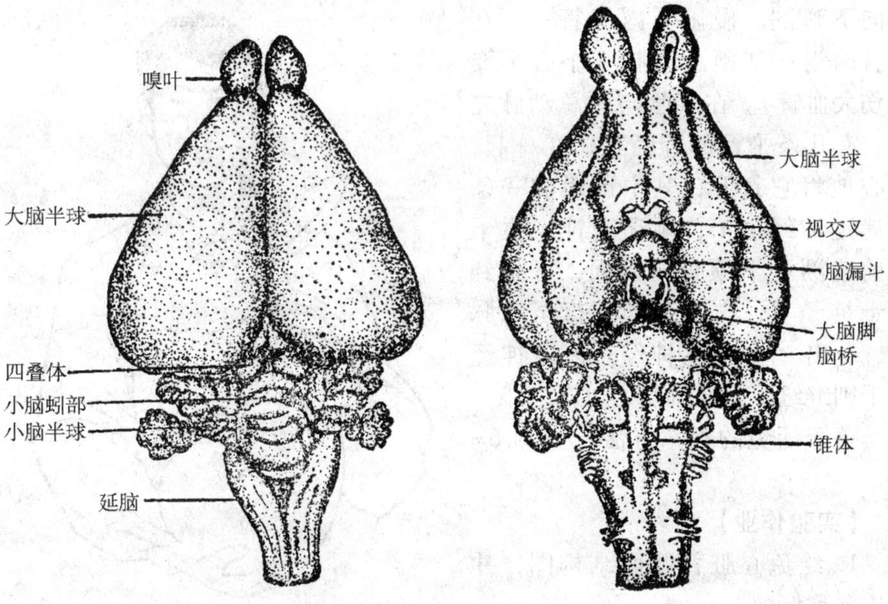

图 6-8 兔的脑（背面观）　　图 6-9 兔的脑（腹面观）

5. 神经系统（图 6-8、6-9）　神经系统分为中枢神经系统和外周神经系统。中枢神经系统包括脑和脊髓。外周神经系统包括脑神经、脊神经和自主神经（植物神经）。

脑：利用浸制的兔脑标本进行观察，先观察背面，兔脑的最前端是一对小的嗅叶，嗅叶后为发达的大脑半球。在切去部分大脑半球的标本上可以看到被大脑覆盖的间脑和中脑。中脑的背面形成四个圆形突起，称四叠体。其后部被小脑遮盖。小脑包括中央的小脑蚓部和两侧的小脑半球以及外侧的小脑卷。延脑在小脑之后，大部被小脑遮盖，延脑之后为脊髓。

再观察兔脑的腹面，在两大脑半球后部之间是间脑，它的前部有视交叉，其后有一圆形脑漏斗，脑垂体由柄连系于此（脑垂体多在剥制标本时被撕掉，在脑漏斗的中心留下一裂缝）。

间脑的后方为中脑的大脑脚，内含有大量来往于大脑和低级中枢的纤维。小脑的腹面为一宽横行纤维束，称小脑桥，是连系两个小脑半球的桥梁，为哺乳动物所特有。延脑的腹中线有一沟，称腹中裂，向后一直延伸到脊髓，沿腹中裂有成对的纵行纤维隆起，称锥体，由大脑半球来的纤维束经此通往脊髓。

迷走神经：切开颈部肌肉，逐步向下解剖。慢慢暴露气管，先在气管两侧找到颈总动脉（小心不要损伤大血管）。在气管与颈总动脉之旁，有几条平行的神经紧贴在一起，细心地将它打开，其中最粗的一条是迷走神经主干，顺迷走神经主干向前追溯至下颌骨的内面，可找到迷走神经节，它沿颈部下行至动脉弓，分出一支喉返神经。迷走神经主干则继续下行至肺与心脏。

关于活兔的捉拿方法　见图6-10。

图6-10　兔的捉拿方法

【实验作业】

1. 绘兔心脏背侧面结构图，并标出名称。

2. 说明家兔血液循环的简单途径。

实验二　细胞形态及细胞器的观察

【目的要求】

1. 进一步练习显微镜的使用。

2. 观察和识别动、植物细胞的基本形态构造。

3. 掌握临时玻片标本的制备方法。

4. 观察和认识光学显微镜下几种细胞器的形态结构。

【实验材料】

光学显微镜，载玻片，盖玻片，牙签，镊子，剪刀，吸水纸，蒸馏水，次甲基蓝溶液，洋葱鳞茎，鼠肾切片，兔脊神经节切片，马蛔虫子宫切片，香柏油，擦镜纸。

【内容和方法】

（一）植物细胞的观察——洋葱表皮细胞

1. 取干净载玻片一块，在中央加一滴次甲基蓝溶液。取洋葱鳞茎的肉质鳞片一小片，用镊子从内侧（凹面）撕下一层透明的薄膜，剪成小块放于载玻片上摊平，不要折叠。

2. 取次甲基蓝溶液 1~2 滴滴在表皮组织上，让其染色，盖上盖玻片，制成临时装片，然后置于低倍镜下观察。

3. 因其细胞较透明，所以观察时光圈关小一点，这样结构会更清晰。低倍镜下可见许多长方形的细胞，内有圆形的细胞核，细胞表面有双层轮廓细胞壁。高倍镜下可见 1~3 个深黄色的核仁，在细胞质中可看到位于周围染色很浅的微细颗粒，这是细胞质的内含物，在细胞质中占大部分的无色区是液泡。

（二）运动细胞的观察——人口腔粘膜上皮细胞

1. 取干净的载玻片一块，在中央加一小滴蒸馏水。

2. 用洁净牙签较钝的一头轻轻刮取自己口腔中腮内面的上皮粘液少许，然后把刮下物浸到载玻片的蒸馏水滴中，轻轻搅动，使上皮细胞和粘液渗入水中，加一滴次甲基蓝，盖上盖玻片。

3. 低倍镜下找到物像，此时可见到一些细小的蓝色小点，这些都是口腔粘膜上皮细胞，它们或分散或多个集结在一起，选择其中比较清楚、完整和不重叠的细胞用高倍镜观察。此时可见上皮细胞呈扁平形，细胞膜薄而不显著，细胞核在中央，呈卵圆形，细胞质中有蓝色小颗粒。

（三）若干细胞器的观察

1. 高尔基体　取兔脊神经节切片标本，先在低倍镜下观察，可见许多圆形或卵圆形的神经节细胞（图 6-11），选择几个较完整的细胞换用油镜观察。在细胞中央可看到一个圆形未被染色的透明区，这是细胞核，有时在核中还可见到 1 个或几个淡黄色的核仁。在细胞核周围的细胞质中有许多棕黑色颗粒或细长卷曲状或连成网状的深褐色结构，这就是高尔基体（图 6-11）。

2. 线粒体　取鼠肾切片，先在低倍镜下观察，此时可见许多圆形或椭圆形的环状结构，这是鼠肾小管的切面。换用油镜仔细观察，肾小管管壁由一层紧密排列的细胞组成，由于细胞排列紧密，细胞之间界限不易分清。细胞中染色较浅的圆形区是细胞核，内有 1 个以上染色较深的核仁。在核外的细胞质中密布蓝黑色短线状或颗粒状的结构，这就是线粒体（图 6-12）。

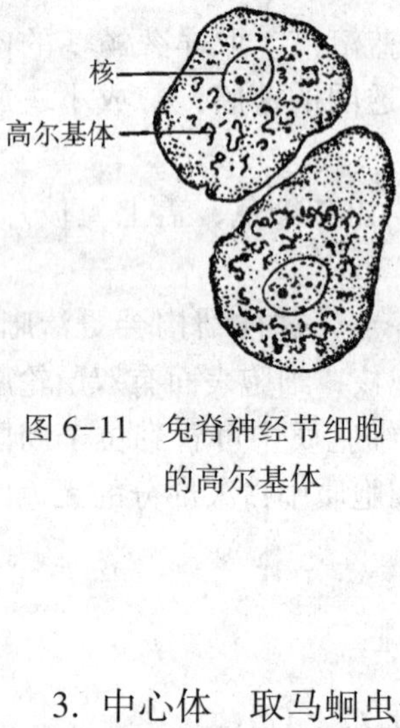

图 6-11　兔脊神经节细胞的高尔基体

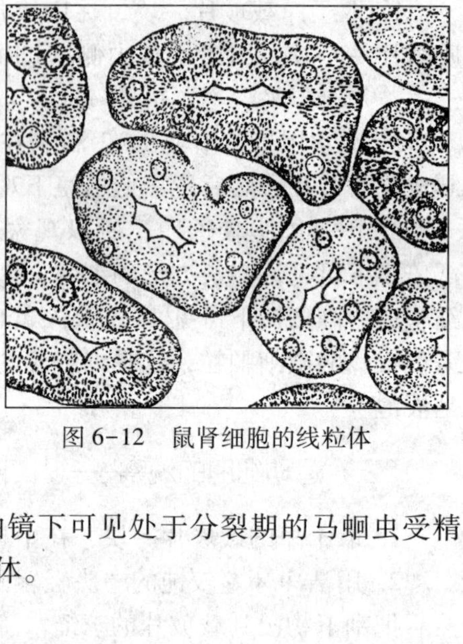

图 6-12　鼠肾细胞的线粒体

3. 中心体　取马蛔虫子宫切片。油镜下可见处于分裂期的马蛔虫受精卵，在细胞两极可看到染色很深的中心体。

小结复习思考题

1. 比较动、植物细胞有何不同。
2. 观察临时玻片标本应注意什么。
3. 用图将光学显微镜下高尔基体、线粒体、中心体的形态描绘出来。

实验三　人类染色体核型分析

【目的要求】

1. 了解人体染色体的形态特征和数目。

2. 通过照片及镜下核型分析，初步掌握人体染色体的识别方法。

【实验材料】

正常男女体细胞染色体照片与核型纸，正常男女体细胞染色体标本，显微镜，香柏油，擦镜纸，剪刀，浆糊等。

【内容和方法】

（一）染色体照片核型分析

人类染色体为 46 条，根据染色体长度、大小及着丝粒的位置可将 23 对分成三种类型（图 6-13，图 6-14，图 6-15）。

1. 中央着丝粒型　着丝粒在中央，长臂和短臂长度大致相等。

2. 亚中央着丝粒型　着丝粒不在中央，长臂和短臂的长度有明显差别。

3. 端部着丝粒型　着丝粒位于短臂的末端，并有随体附着。

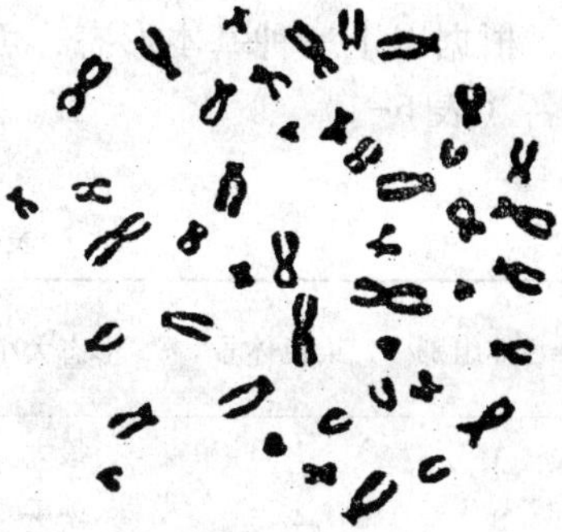

图 6-13　中期分裂相（外周血淋巴细胞）

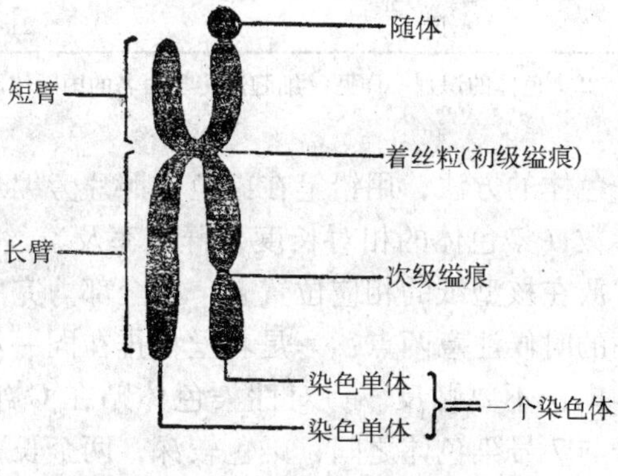

图 6-14　中期染色体模式图

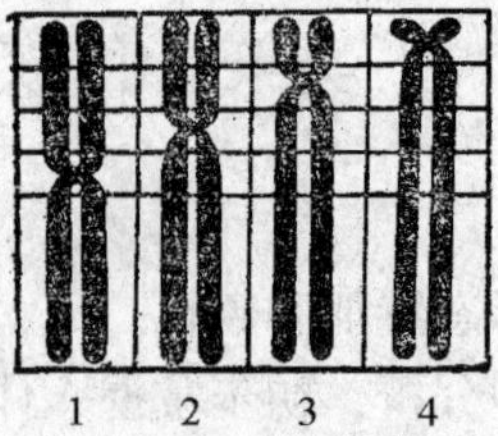

图 6-15　染色体的类型

1. 中着丝粒染色体；2. 亚中央着丝粒染色体；
3. 近端着丝粒染色体；4. 端着丝粒染色体。

根据以上三种基本形态，可将 23 对人类染色体分成七组，分别以 A-G 命名（表 6-1）。

表 6-1　染色分组

染色体组别	染色体号	形态大小	着丝粒位置			随体
			中央型	亚中央型	端部型	
A	1~3	最大	1，3	2		无
B	4~5	次大		4，5		无
C	6~12；X	中等		6~12，X		无
D	13~15	中等			13~15	有
E	16~18	小	16	17，18		无
F	19~20	次小	19，20			无
G	21~22；Y	最小			21~22，Y	有

注：①Y 没有随体；②染色体的识别　详见《细胞遗传学命名的国际体制，ISCN（1978）》。

按上述识别染色体的方法，用铅笔在染色体照片旁编号。更精确的识别还要求计算三个参数（染色体的相对长度，臂比率及着丝粒指数）。然后将染色体逐个剪下并放在核型纸的相应位置上，待全部剪完后作一次调整，最后用浆糊粘上。粘的时候注意两点：一是着丝粒排在同一水平虚线上；二是要分清长短臂的方向，不要贴反。一对性染色体贴在 G 组的后面，X 染色体的大小介于 6 号与 7 号染色体之间，染色较深，两个长臂常靠拢。Y 染色体稍比 G 组大一点，无髓体，着色更深，而长臂靠拢，末端有时呈细毛状。

（二）染色体镜下核型分析

1. 低倍镜下观察　可见有三种细胞形态：①未转化的淋巴细胞的细胞核（染色较深，核膜完整，其胞膜及胞质经低渗处理破坏了）；②已转化的细胞核（体积较大，核结构疏松，有3~5个核仁）；③中期分裂象（染色体形态清晰，分散良好）——所要观察的染色体。

在低倍镜下计算一下“分裂指数”，方法是选择染色体最丰富的部位，数1000个上述三种细胞，求出中期分裂象所占的百分数：

$$\frac{\text{中期分裂象数}}{\text{1000个三类细胞}}\times 100=\text{分裂指数（\%）}$$

一般比较好的片子，其分裂指数在15%以上，这是衡量片子质量的一个标准。

2. 油镜下检查　在低倍镜下找到分散良好，形态清晰，大小适中的中期分裂相后，将其移至视野中央，再转换油镜头观察。

小结和复习思考题

1. 核型分析的意义。

实验四　细胞的有丝分裂

【目的要求】

1. 掌握细胞有丝分裂的过程及其分裂各期的形态特征。
2. 熟悉掌握显微镜的使用和镜下绘图。

【实验材料】

光学显微镜，洋葱根尖切片，马蛔虫子宫切片，吸水纸。

【内容和方法】

（一）植物细胞有丝分裂的观察——洋葱根尖切片

将洋葱根切片标本放在低倍镜下（图6-16），先寻找尖端生长点的部分（因这部分大多数处于分裂状态、细胞呈立方形）。再将这部分换高倍镜或油镜下观察，在这部分中可见到许多染成蓝色近方形的细胞，各有不同时期细胞的形态特征（图6-17）。

分裂各期的特点：

1. 间期　细胞核较大，核膜清楚，核仁明显，染色质分布比较均匀，细胞核的颜色比细胞质为深（由于染色质与碱性染料结合），细胞中还可见 1~3 个核仁。

2. 前期　细胞核内分散的染色质凝聚成丝条状，盘绕成网状，缩短变粗，构成条状的染色体，同时核膜、核仁消失。在观察过程中，有三个连续阶段：①细胞核内出现纤细卷曲的丝状或线团状结构——染色丝；②染色丝缩短变粗；③染色体形成，核仁、核膜消失。

3. 中期　染色体纵裂为二，整齐排列在细胞中央形成赤道板。在中期染色体虽然已纵裂，但还没有完全分离（不易观察到染色体纵裂成两个单体的情况）。

4. 后期　染色体的着丝粒一分为二，染色单体分开，全部染色体分成相等的两个组，分别离开赤道板，移向细胞两极。

5. 末期　两组染色体解体，逐渐变成染色质，核仁、核膜重新出现，形成两个新细胞核。在细胞中央纺锤线中部凝聚成细胞板，由中央向两侧伸展形成新的细胞壁，分隔细胞质而成为两个新的细胞。在观察中，仔细观察两个连续阶段：①染色体形状开始模糊，细胞中央出现细胞板，但是分隔尚未完全；②新核的形态已经组成，但细胞核较扁，染色体尚未完全解体形成均匀的染色体，核仁、核膜已出现，细胞板已分隔完全。

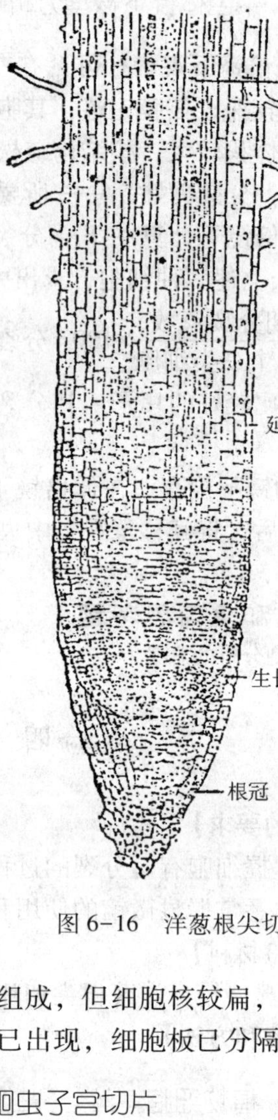

图 6-16　洋葱根尖切片

（二）动物细胞有丝分裂的观察——马蛔虫子宫切片

取马蛔虫的子宫切片标本放在低倍镜下观察，在马蛔虫子宫切片上，可见子宫腔内充满着许多近圆形的、处于有丝分裂不同时期的受精卵细胞（图 6-18）。再在高倍镜下仔细观察，每个受精卵细胞外面围有一层厚的受精卵膜，膜和受精卵细胞间的空隙为围卵腔。

1. 分裂间期　细胞质内有两个近圆形的细胞核，一为雌原核，一为雄原核。细胞核内染色质分布比较均匀，核膜、核仁清楚，细胞附近并有中心

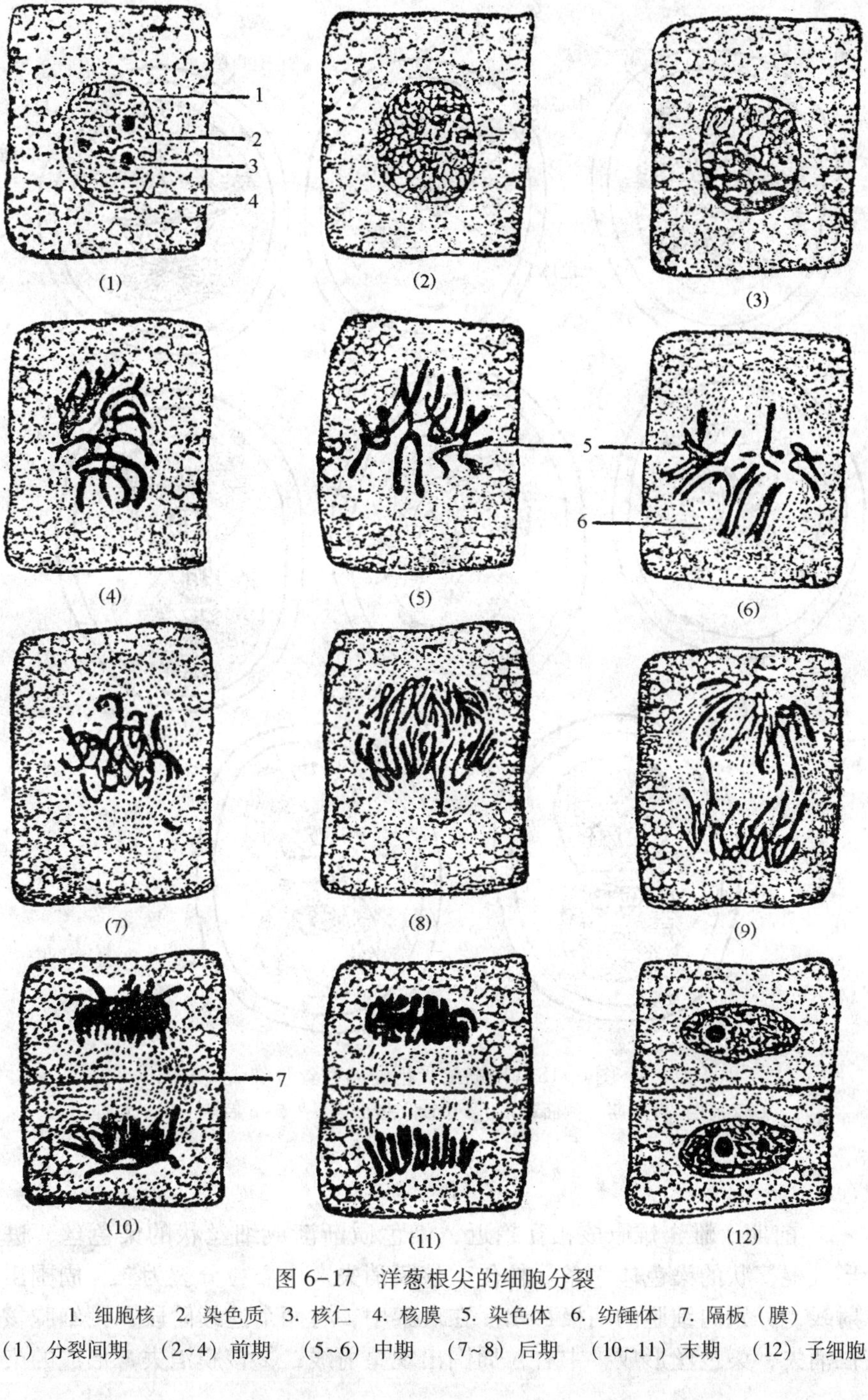

图 6-17　洋葱根尖的细胞分裂

1. 细胞核　2. 染色质　3. 核仁　4. 核膜　5. 染色体　6. 纺锤体　7. 隔板（膜）

（1）分裂间期　（2~4）前期　（5~6）中期　（7~8）后期　（10~11）末期　（12）子细胞

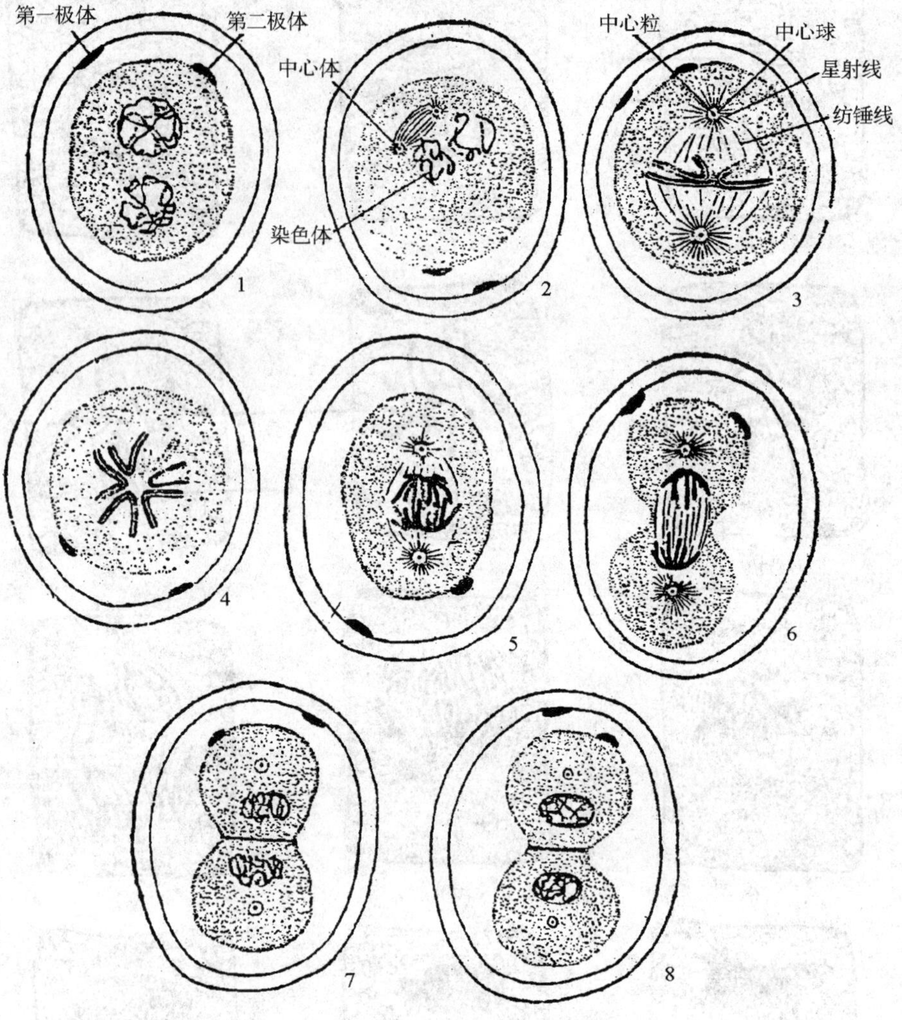

图 6-18　马蛔虫受精卵的有丝分裂

1~2 前期　3 中期（侧面观）　4 中期（极面观）　5~6 后期　7~8 末期

粒存在。

2. 前期　雌、雄原核相互趋近，染色质渐渐成细丝状的染色丝，进一步形成棍棒状的染色体六条。核仁、核膜消失。中心粒分裂为二，周围出现星射线，分别向细胞的两极移动。在观察中，有两个连续阶段：①细胞核中核仁消失，染色丝形成，中心粒周围出现星射线；②核膜消失，形成的染色体散出，两个中心粒分别移到两极。

3. 中期 染色体排列在中央赤道板上，两极各有一中心体，周围有星射线，染色体已纵裂为二，但尚未分离。

4. 后期 纵裂后的染色体受纺锤丝的牵引，向两极移动，细胞中央部分的细胞膜开始凹陷。

5. 末期 两极的染色体逐渐解体模糊，变成染色质，核膜、核仁也相继出现。细胞膜的凹陷渐渐加深，最后成为两个新细胞。

【小结和思考】

动物细胞有丝分裂的过程和植物有丝分裂两个主要区别：

1. 动物细胞有中心体，在前期两个中心体分离，最后各处于一端，中心体之间出现纺锤体。

2. 在末期，两个子核之间不出现细胞核，而是通过细胞中央的细胞膜内凹，最后把细胞分割为二。

思考题

1. 在高倍镜或油镜下绘洋葱根尖细胞有丝分裂和马蛔虫子宫切片有丝分裂各期图，并注意各名称。

2. 动物细胞和植物细胞有丝分裂的主要不同点是什么？

实验五 人类皮纹分析

【目的要求】

1. 掌握正常人的皮纹特点及其临床意义。

2. 了解皮纹检查分析的方法。

【实验材料】

放大镜，直尺，量角器，红色印油（或黑色油墨），铅笔，白纸等。

【内容和方法】

本实验皮纹纹理分析包括 6 项指标，每两个同学互相检查彼此的皮纹，并记录于附表上。

（一）指纹形态

手指指纹皮纹形态（图 6-19）可分弓、箕、涡（斗）三种。判断的依据是：①皮纹线的走向和形态；②有无轴三角（三叉点）；③有无圆心。

1. 弓形纹（图 6-20） 皮纹线由一端向另一端移行，不回折，无分

图 6-19　指纹的三种基本类型

支、无轴三角及圆心。

2. 箕形纹（图 6-21）　皮纹线由一端向前移行时有分支，其中一些分支向前移行后又回折 180°形成圆心，有轴三角，按开口方向不同，分尺箕（靠尺骨一方）和桡箕（靠桡骨一方）。

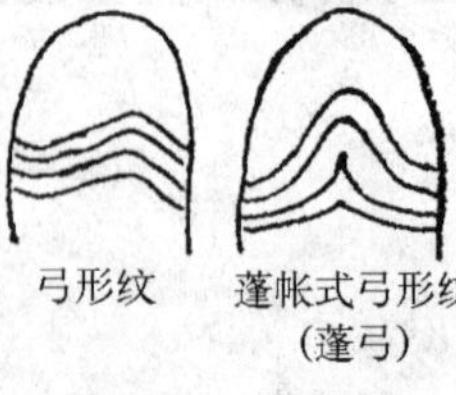

图 6-20　弓形纹类型

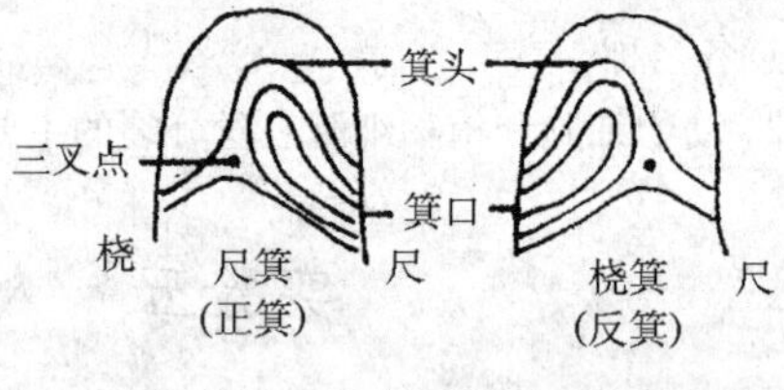

图 6-21　箕形纹类型

3. 涡（斗）形纹（图 6-22）　是一种比较复杂的指纹，可分多种形态。判断的基本标准是有一个或两个圆心，并形成两个或两个以上的轴三角。

图 6-22　斗型纹类型

（二）指嵴纹总数（TRC）

从圆心至轴三角画一条直线，计算直线上的嵴纹数目，把双手十个手指的嵴纹数相加即为嵴纹总数（图 6-23、6-24）。弓形纹计算为零。斗形纹有两个三角，要分别算出嵴纹数。在计算嵴纹总数时，只取其中较大的数值。

图 6-23 三叉点的结构图型

图 6-24 手指嵴纹计数方法

（三）指皱褶

指皱褶亦称指屈纹，即在手指伸屈时产生的褶皱。正常人大拇指出现 1 条皱褶，2、3、4、5 指备有 2 条皱褶。先天愚型患者可出现第五指只有一条皱褶的变异。

（四）手掌褶线纹

正常人手掌一般有三条大的皱褶（图 6-25）：①远侧横屈纹；②近侧横屈纹；③鱼际横屈纹（纵侧屈纹）。最常见的变异是远侧纹与近侧纹合二为一，俗称通贯手。

（五）掌纹

主要检查三个指标：atd 角（图6-26、图6-27），t/掌比值，a～b 脊纹线。

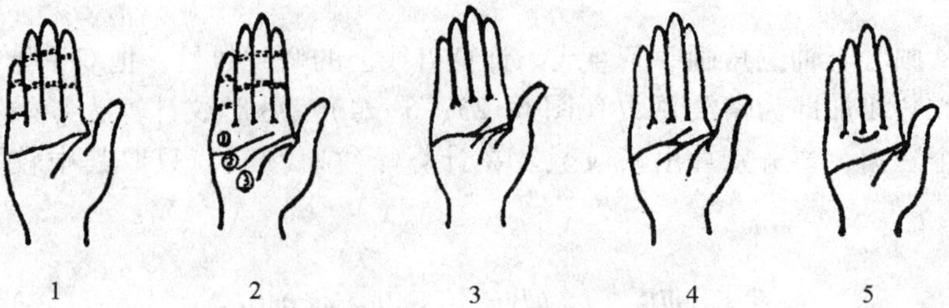

图 6-25　掌纹的差异

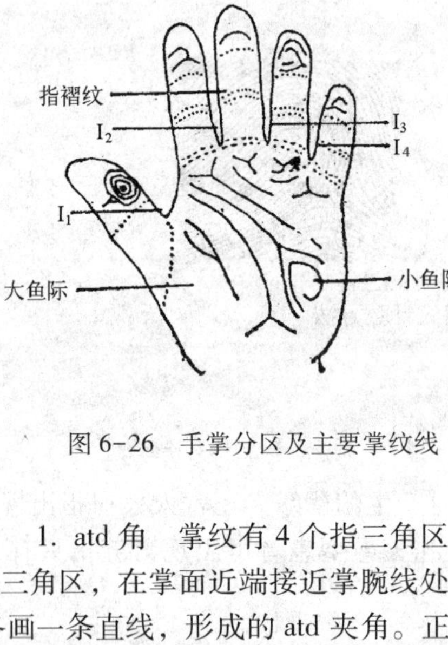

图 6-26　手掌分区及主要掌纹线

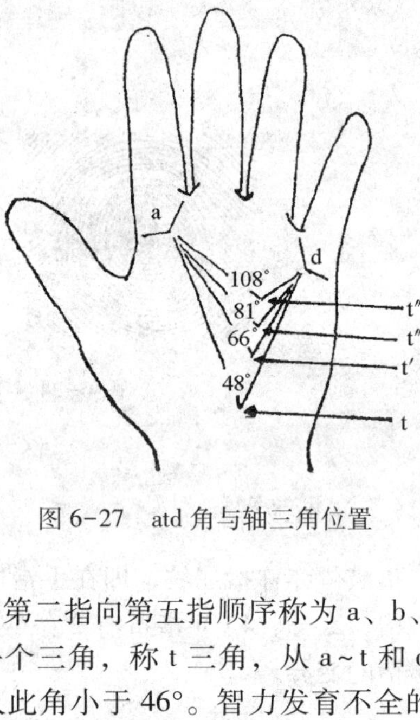

图 6-27　atd 角与轴三角位置

1. atd 角　掌纹有 4 个指三角区，由第二指向第五指顺序称为 a、b、c、d 三角区，在掌面近端接近掌腕线处有一个三角，称 t 三角，从 a~t 和 d~t 各画一条直线，形成的 atd 夹角。正常人此角小于 46°。智力发育不全的遗传病患者，此角可超过 50°，甚至达 70°以上。

2. t/掌比值　atd 角的角度随年龄不同可能有些变异，故可测量 t/掌比例来了解 a、t、d 三角之间的关系。

先测出掌长［从第三指（中指）掌线至掌腕线］，再测出 t 距（从 t 三角至掌腕线）。以前者为 100%，求后者的比例即 t/常比值，如夹角 atd 小于 46°（t 的位置正常），则比值约 0%~4%，若夹角 atd 大于 50°，则比值比为 16~39%，称为 t′ 三角；若比值大于 40% 称为 t″三角。一般说来，比值越高则

atd 角度越大，如先天愚型多为 t' 三角，18 三体和 13 三体综合征患者掌为 t″ 三角。

3. a~b 嵴纹线　在指三角 a 和 b 之间画一直线，计算直线上的嵴纹线，称 a~b 三角间区嵴纹线。性染色体异常时，如 44，X 病人出现 a-b 嵴纹线数增高的现象。

思考题

1. 每两位同学互相检查彼此指掌等纹后，将结果记录实验记录上（表 6-2），另填一张实验报告交老师。

2. 为什么皮纹变化会出现特殊的个体变异性，而且终生不变？

表 6-2　记 录 表

<table>
<tr><td rowspan="2">检查指标</td><td colspan="5">左 手 指</td><td colspan="5">右 手 指</td><td rowspan="2"></td></tr>
<tr><td>1</td><td>2</td><td>3</td><td>4</td><td>5</td><td>1</td><td>2</td><td>3</td><td>4</td><td>5</td></tr>
<tr><td>指纹形态</td><td></td><td></td><td></td><td></td><td></td><td></td><td></td><td></td><td></td><td></td><td></td></tr>
<tr><td>指嵴纹数</td><td></td><td></td><td></td><td></td><td></td><td></td><td></td><td></td><td></td><td></td><td></td></tr>
<tr><td>指皱褶</td><td></td><td></td><td></td><td></td><td></td><td></td><td></td><td></td><td></td><td></td><td></td></tr>
</table>

<table>
<tr><td rowspan="2">掌检查指标
atd 角度</td><td rowspan="2">左</td><td rowspan="2">右</td><td colspan="2">手掌褶线形态</td><td rowspan="2"></td></tr>
<tr><td>左</td><td>右</td></tr>
<tr><td></td><td></td><td></td><td></td><td></td><td></td></tr>
<tr><td>掌长（cm）</td><td></td><td></td><td></td><td></td><td></td></tr>
<tr><td>t 距（cm）</td><td></td><td></td><td></td><td></td><td></td></tr>
<tr><td>t/掌距值%</td><td></td><td></td><td></td><td></td><td></td></tr>
<tr><td>a-b 嵴纹数</td><td></td><td></td><td></td><td></td><td></td></tr>
</table>

第七章 人体解剖学

实验一 运动系实验（一）

【目的要求】

1. 掌握骨的构造。
2. 掌握躯干骨的名称、数目、位置及其主要形态结构。
3. 掌握上肢骨的名称、数目、位置及其主要形态结构。

【实验材料】

1. 骨的构造标本，脱钙骨和煅烧骨标本。
2. 躯干骨标本。
3. 上肢骨标本。
4. 全身骨架模型。

【实验内容】

骨的形态：长骨（骨干、骺、骨髓腔、关节面、滋养孔），短骨，扁骨，不规则骨。

骨的构造：骨质（密质、松质、骨小梁），骨膜，骨髓（红骨髓、黄骨髓），关节软骨。

椎骨的一般形态：椎体，椎弓，椎孔，椎上切迹，椎下切迹，椎间孔，横突，上关节突，下关节突，棘突。

各部椎骨的特征：颈椎——横突孔，寰椎，枢椎，隆椎；胸椎——肋凹（椎体肋凹和横突肋凹）；骶骨——岬，骶前孔，骶后孔，骶管，骶管裂孔，骶角，耳状面。

胸骨：胸骨柄，胸骨体，剑突，胸骨角，颈静脉切迹。

肋骨：肋头，肋结节，肋体，肋沟。

锁骨：内侧端（胸骨端），外侧端（肩峰端）。

肩胛骨：关节盂，喙突，肩胛冈，肩峰，冈上窝，冈下窝，下角。

肱骨：肱骨头，大结节，小结节，外科颈，三角肌粗隆，桡神经沟，肱骨小头，肱骨滑车，鹰嘴窝，内上髁，外上髁，尺神经沟。

桡骨：桡骨头，环状关节面，桡骨粗隆，尺切迹，桡骨茎突。

尺骨：滑车切迹，鹰嘴，冠突，桡切迹，尺骨头，尺骨茎突。

掌骨的名称和排列。

掌骨和指骨的数目及命名。

实验二　运动系实验（二）

【目的要求】

1. 掌握下肢骨的名称、数目、位置及其主要形态结构。
2. 掌握颅骨的名称、数目、位置及其主要形态结构。
3. 掌握全身各部重要的骨性标志。

【实验材料】

1. 下肢骨的标本。
2. 颅骨的标本（整颅、颅盖、颅底和分离颅骨标本）。
3. 全身骨架模型。

【实验内容】

髋骨：髋臼，闭孔；髂骨——髂嵴，髂前上棘，髂后上棘，髂前下棘，髂窝，耳状面；坐骨——坐骨结节，坐骨棘，坐骨大切迹，坐骨小切迹；耻骨——耻骨结节，耻骨联合面。

股骨：股骨头，股骨头凹，股骨颈，大转子，小转子，粗线，臀肌粗隆，内侧髁，外侧髁。

髌骨。

胫骨：内侧髁，外侧髁，胫骨粗隆，内踝。

腓骨：腓骨头、腓骨颈、外踝。

跗骨的名称和排列。

跖骨和趾骨的数目及命名。

脑颅骨：名称和位置；蝶骨体，颞骨岩部。

面颅骨：名称和位置；下颌骨——下颌支，下颌体，下颌角，下颌头，冠突，下颌孔，下颌管，颏孔。

颅盖：冠状缝，矢状缝，人字缝，眉弓。

颅底内面：颅前窝——筛板，筛孔；颅中窝——垂体窝，视神经管，眶上裂，圆孔，卵圆孔，棘孔，脑膜中动脉沟；颅后窝——枕骨大孔；斜坡——舌下神经管，横沟，乙状沟，颈静脉孔，内耳门，内耳道。

颅底外面：鼻后孔，枕骨大孔，颈静脉孔，颈动脉管外口，茎突，乳突，茎乳孔，下颌窝，关节结节，枕外隆凸。

颅的前面：眶——眶上缘，眶上切迹（孔），眶下缘，眶下孔，泪囊窝，鼻泪管，眶上裂，眶下裂；骨性鼻腔——骨性鼻中隔，上鼻甲，中鼻甲，下鼻甲，上鼻道，中鼻道，下鼻道；鼻窦——额窦，上颌窦，蝶窦，筛窦。

颅的侧面：外耳门，外耳道，颧弓，颞窝，翼点。

颅囟：前囟，后囟

重要骨性标志：第 7 颈椎棘突，骶角，肩蜂，肩胛冈，肩胛下角，髂嵴，髂前上棘，锁骨、喙突，胸骨角，剑突，肋弓，耻骨结节，枕外隆凸，乳突，下颌头，下颌角，肱骨大结节，肱骨内、外上髁，鹰嘴，桡骨茎突，坐骨结节，股骨大转子，股骨内、外侧髁，髌骨，胫骨内、外侧髁，胫骨粗隆，内踝，腓骨头，外踝。

实验三　运动系实验（三）

【目的要求】

1. 掌握关节的主要结构。
2. 掌握椎间盘的位置和结构。
3. 掌握脊柱的组成和弯曲。
4. 掌握胸廓的组成。
5. 掌握肩、肘、腕关节的组成、结构和功能。
6. 掌握骨盆的组成，髋、膝、踝关节的组成，结构和功能。
7. 掌握颞下颌关节的组成和结构。

【实验材料】

1. 脊柱标本，脊柱水平切面和矢状切面标本。
2. 胸廓标本。
3. 肩、肘、腕关节标本。
4. 骨盆标本和模型。
5. 髋、膝、踝关节标本。
6. 下颌关节标本。

【实验内容】

关节的主要结构：关节面，关节囊（纤维层，滑膜层），关节腔。

关节的辅助结构：韧带，关节内软骨（关节盘，半月板），关节唇。

椎骨间的连接：椎间盘（纤维环和髓核），前纵韧带，后纵韧带，黄韧带，棘上韧带，棘间韧带，项韧带，关节突关节。

脊柱的组成和弯曲：颈曲，胸曲，腰曲，骶曲。

胸廓的组成和形态结构：胸廓上口，胸廓下口，肋间隙，肋弓，肋头关节，肋横突关节，胸肋关节。

上肢骨的连接：肩关节的组成——关节盂唇，肱二头肌长头腱，喙肩韧带；肘关节的组成——肱尺关节，肱桡关节，桡尺近侧关节，桡骨环状韧带，桡侧副韧带，尺侧副韧带，肘后三角，桡腕关节。

下肢骨的连接：骨盆的组成，连结和分部——骶髂关节，骶结节韧带，骶棘韧带，坐骨大孔，坐骨小孔，耻骨联合，耻骨弓，大骨盆，小骨盆，骨盆上口，骨盆下口，骨盆腔；髋关节——组成，结构特点以及髋臼唇，股骨头韧带；膝关节——组成，结构特点以及胫侧副韧带，腓侧副韧带，前交叉韧带，后交叉韧带，内侧半月板，外侧半月板；踝关节——组成，结构特点以及三角韧带，距腓前韧带，距腓后韧带，跟腓韧带。

颅骨的连接：颞下颌关节的组成和结构特点。

实验四　运动系实验（四）

【目的要求】

1. 掌握肌的构造和肌的辅助装置。

2. 掌握背阔肌，斜方肌，竖脊肌，胸大肌的位置和功能；膈的位置和裂孔；腹肌的位置和层次。

3. 掌握咬肌，颞肌，胸锁乳突肌的位置和功能。

4. 掌握三角肌，肱二头肌，肱三头肌，桡侧腕屈肌，掌长肌，尺侧腕屈肌的位置和功能。

5. 掌握臀大肌，梨状肌，股四头肌，半腱肌，半膜肌，股二头肌，小腿三头肌（腓肠肌内、外侧头和比目鱼肌），胫骨前肌，长伸肌，趾长伸肌的位置和功能。

6. 掌握重要肌性标志。

【实验材料】

1. 整尸肌肉标本。

2. 头颈部、上肢和下肢的肌肉标本，膈肌标本和模型。

3. 上肢、下肢的横断面标本。

4. 滑膜囊和腱鞘标本。

【实验内容】

肌的形态和构造：长肌，短肌，阔肌和轮匝肌；肌腹，肌腱，腱膜。

肌的辅助装置：浅筋膜，深筋膜，肌间隔，滑膜囊，腱鞘。

躯干肌：背肌——斜方肌，背阔肌，竖脊肌；胸肌——胸大肌，肋间外肌，肋间内肌；膈——中心腱，主动脉裂孔，食管裂孔，腔静脉孔；腹肌——腹直肌，腹外斜肌，腹内斜肌，腹横肌，腹直肌鞘，腹横筋膜，腹白线，腹股沟韧带，腹股沟管，腹股沟管浅、深环，联合腱或腹股沟镰。

头颈肌：面肌——眼轮匝肌，口轮匝肌，颊肌；咀嚼肌——咬肌，颞肌；颈肌——胸锁乳突肌。

上肢肌：肩肌——三角肌，肩胛下肌，冈上肌，冈下肌，小圆肌，大圆肌；臂肌——肱二肌，肱三头肌；前臂肌——肱桡肌，旋前圆肌，桡侧腕屈肌，掌长肌，指浅屈肌，尺侧腕屈肌，拇长屈肌，指深屈肌，旋前方肌，桡侧腕长，短伸肌，指伸肌，小指伸肌，尺侧腕伸肌，旋后肌，拇长展肌，拇短伸肌，拇长伸肌，示指伸肌；手肌——外侧群（鱼际），内侧群（小鱼际），中间群；上肢局部记载——腋窝，肘窝。

下肢肌：髋肌——髂腰肌（髂肌和腰大肌），臀大肌，臀中肌，臂小肌。梨状肌（梨状肌上孔和梨状肌下孔）；大腿肌——股四头肌（股直肌，股内侧肌，股外侧肌和股中间肌），缝匠肌，内侧肌群，股二头肌，半腱肌，半膜肌；小腿肌——胫骨前肌，踇长伸肌，趾长伸肌，外侧群肌，小腿三头肌（腓肠肌内、外侧头，比目鱼肌），跟腱，趾长屈肌，胫骨后肌，长屈肌；下肢筋膜——阔筋膜，髂胫束；下肢局部记载——股三角，股管，腘窝。

重要肌性标示——咬肌，胸锁乳突肌，腹直肌，三角肌，肱二头肌，桡侧腕屈肌腱，股四头肌，髌韧带，臀大肌，小腿三头肌，跟腱。

实验五　消化系实验

【目的要求】

1. 掌握咽峡的组成、腭扁桃体的位置、舌的形态构造、腮腺的位置及腮腺管的开口部位。
2. 掌握咽的形态、位置、分部及各部的交通。
3. 掌握食管的形态、位置及三个生理狭窄的部位。
4. 掌握胃的形态、位置及主要形态结构。
5. 掌握小肠的分部及主要形态结构。
6. 掌握大肠的分部、位置及各部的主要形态结构。
7. 掌握肝的形态和位置。
8. 掌握胆囊的形态、位置和分部，肝外胆道的组成及开口部位。
9. 掌握胰的形态、位置、分部及胰管的开口部位。

10. 掌握腹膜的配布和腹膜形成的主要形态结构。

【实验材料】

1. 头正中矢状切面标本和模型，牙标本和模型，咽后面观标本和模型，食管、胃、小肠和大肠标本和模型，胰十二指肠，回盲部和直肠模型。

2. 肝、胰、胆囊和输胆管道标本和模型。

3. 腹膜模型（正中矢状面和水平面）。

4. 人体半身模型（显示内脏及胸腹后壁结构）。

5. 躯干部标本（胸、腹腔已切开）。

【实验内容】

1. 口腔

口腔的分部：口腔前庭，固有口腔。

口唇：口裂，口角，人中，鼻唇沟。

腭：硬腭，软腭，腭垂（悬雍垂），腭舌弓，腭咽弓，腭扁桃体，咽峡。

牙：牙冠、牙根，牙颈，牙龈，牙腔，牙髓，切牙，尖牙，前磨牙，磨牙。

舌：舌根，舌体，舌尖，界沟，舌系带，舌下阜，舌下襞，丝状乳头，菌状乳头，轮廓乳头。

大涎腺：腮腺、腮腺管，舌下腺，下颌下腺。

2. 咽

咽的位置，分部和结构，咽腔鼻部——咽鼓管咽口，咽隐窝，咽腔口部——腭扁桃体窝；咽腔喉部——梨状隐窝。

3. 食管

食管的位置和生理狭窄，第一狭窄，第二狭窄，第三狭窄。

4. 胃

胃的位置，分部和主要形态结构，贲门，幽门，胃小弯，胃大弯，胃前壁，胃后壁，胃底，胃体，幽门部（幽门管和幽门窦），幽门括约肌，幽门瓣。

5. 小肠

小肠的分部：十二指肠，空肠和回肠。

十二指肠的形态，位置和分部：上部，降部（十二指肠大乳头），水平部，升部（十二指肠空肠曲，十二指肠悬肌）。

6. 大肠

大肠的分部和位置：盲肠，结肠和直肠。

盲肠和结肠的特征性结构：结肠带，结肠袋，肠脂垂。

回盲部的结构：回盲口，回盲瓣，阑尾及阑尾开口。

结肠：升结肠，结肠右曲（肝曲），横结肠，结肠左曲（脾曲），降结肠，乙状结肠。

直肠的位置和毗邻。

直肠的形态构造：直肠盆部和直肠壶腹，肛管，骶曲，会阴曲，直肠横襞，肛柱，肛瓣，肛窦，齿状线，肛梳（痔环），肛门内括约肌，肛门外括约肌。

7. 肝

肝的位置和形态结构：前缘，后缘，上面（膈面），下面（脏面），H形沟，左纵沟，右纵沟（胆囊窝和腔静脉窝），肝门（肝管，肝固有动脉，门静脉），肝圆韧带，肝镰状韧带，肝左叶，肝右叶。

8. 肝外胆道

胆囊的位置，形态和分部，胆囊底，胆囊体，胆囊颈，胆囊管。

输胆管道：肝左管，肝右管，肝总管，胆囊管，胆总管，肝胰壶腹，十二指肠大乳头。

9. 胰

胰的位置，形态和分部：胰头，胰体，胰尾，胰管及其开口。

10. 腹膜

腹膜的配布，壁腹膜，脏腹膜，腹膜腔。

腹膜形成的结构：大网膜，小网膜（肝胃韧带和肝十二指肠韧带），网膜囊，网膜孔；小肠系膜，横结肠系膜，乙状结肠系膜，阑尾系膜；直肠膀胱陷凹，直肠子宫陷凹，膀胱子宫陷凹。

实验六　呼吸系实验

【目的要求】

1. 掌握鼻腔外侧壁的形态结构，鼻窦的位置及其开口部位。

2. 掌握喉的位置，主要喉软骨，喉粘膜的主要形态结构。

3. 掌握气管的位置及结构，左右主支气管的区别。

4. 掌握肺的位置、形态结构和分叶。

5. 掌握胸膜的配布以及肋膈隐窝（肋膈窦）的位置，胸膜下界和肺下缘的体表投影。

【实验材料】

1. 头正中矢状切面标本，喉、气管、主支气管和肺的标本，鼻、喉和肺的模型，纵隔标本。

2. 躯干部标本和人体半身模型。

【实验内容】

1. 鼻

鼻的位置和分部；外鼻、鼻腔及鼻窦。

鼻腔：鼻孔、鼻后孔，上鼻甲，中鼻甲，下鼻甲，上鼻道，中鼻道，下鼻道，鼻中隔。

鼻窦：上颌窦，额窦，蝶窦和筛窦以及各窦的开口部位。

2. 喉

喉的位置和结构：甲状软骨，环状软骨，杓状软骨，会厌软骨；弹性圆锥，前庭襞，声襞，声带，前庭裂，声门裂；喉前庭，喉中间腔和声门下腔。

3. 气管和主支气管

气管的位置，形态结构以及气管杈的位置，主支气管的位置以及左右主支气管的区别。

4. 肺

肺的位置，形态结构和分叶：肺尖，肺底，前缘，后缘，外侧面，内侧面，肺门（支气管，肺动脉，肺静脉），肺根，心切迹，斜裂，水平裂，左肺上、下叶，右肺上、中、下叶。

5. 胸膜和纵隔

胸膜的配布：胸膜顶，肋胸膜，膈胸膜，纵隔胸膜以及肋膈隐窝；肺下缘和胸膜下界的体表投影。

纵隔的位置和组成纵隔的结构。

实验七 泌尿系实验

【目的要求】

1. 掌握肾的形态、位置和内部结构。
2. 掌握输尿管的位置及三个生理狭窄的部位。
3. 掌握膀胱的位置、形态和膀胱三角。

【实验材料】

1. 肾（全肾和冠状切面肾）、输尿管、膀胱和尿道标本和模型。
2. 躯干部标本和人体半身模型。

【实验内容】

1. 肾

肾的位置、形态和肾门（肾盂，肾动脉，肾静脉），肾蒂，纤维囊，脂肪囊，肾筋膜。肾的内部结构，肾皮质，肾髓质，肾锥体，肾乳头，肾小盏，肾大盏，肾盂。

2. 输尿管

输尿管的位置和生理狭窄：第一狭窄，第二狭窄，第三狭窄。

3. 膀胱

膀胱的位置毗邻和形态结构，膀胱尖，膀胱体，膀胱底，输尿管口，尿道内口，膀胱三角。

女性尿道的位置和开口。

实验八　生殖系实验

【目的要求】

1. 掌握睾丸、附睾、输精管、精囊腺、前列腺的位置；精索的位置和组成。

2. 掌握阴茎的分部的结构。

3. 掌握男尿道的分部、狭窄和弯曲。

4. 掌握卵巢、输卵管、子宫、阴道的位置以及输卵管和子宫的分部及形态结构，阴道穹的位置。

5. 掌握阴道口和尿道外口的位置。

【实验材料】

1. 男、女性生殖器标本和模型。

2. 男、女性盆腔正中矢状面标本。

【实验内容】

1. 男性内生殖器

睾丸的位置和结构，睾丸白膜，睾丸小叶，精曲小管，睾丸输出小管。

附睾的位置和分部：附睾头，附睾体，附睾尾。

输精管的位置及精索的位置和组成。

射精管，精囊腺和前列腺的位置。

2. 男性外生殖器

阴茎的分部和结构：阴茎头，阴茎体，阴茎根；阴茎海绵体，尿道海绵体；阴茎颈，尿道球腺，阴茎包皮，包皮口，包皮系带。

阴囊的位置。

3. 男性尿道

男性尿道的分部，狭窄和弯曲；尿道前列腺部，尿道膜部和尿道海绵体；尿道内口，尿道膜部和尿道外口；耻骨下弯和耻骨前弯。

4. 女性内生殖器

卵巢的位置。

输卵管的位置和分部：输卵管子宫部，输卵管峡，输卵管壶腹和输卵管漏斗（输卵管伞和输卵管腹腔口）。

5. 子宫

子宫的位置，形态和分部：子宫底，子宫体，子宫颈（子宫颈阴道部和子宫颈阴道上部）；子宫腔，子宫颈管，子宫口。

子宫的固定装置：子宫阔韧带，子宫圆韧带，子宫主韧带，骶子宫韧带。

6. 阴道

阴道的位置和形态结构：阴道口，处女膜，阴道穹。

7. 女性外生殖器

阴阜，大阴唇，小阴唇，阴蒂，阴道前庭，尿道外口和阴道口的位置。

8. 女性乳房

乳房的位置和形态结构：乳头，乳晕，乳腺叶，输乳管。

实验九　循环系实验（一）

【目的要求】

1. 掌握心脏的位置、外形，各心腔的结构，心脏传导系和心脏血管。

2. 掌握主动脉的行程和分部以及主动脉弓的分支。

3. 掌握颈总动脉、颈内动脉、颈外动脉、锁骨下动脉的位置以及颈外动脉和锁骨下动脉的主要分支。

4. 掌握腋动脉、肱动脉、桡动脉和尺动脉的位置。

5. 掌握主动脉胸部和主动脉腹部的主要分支的名称、位置以及主要脏支的分布范围；髂总动脉、髂内动脉和髂外动脉的位置。

6. 掌握股动脉、腘动脉、胫后动脉、胫前动脉和足背动脉位置。

【实验材料】

1. 心脏的标本和模型，心脏传导系模型。

2. 主动脉标本，头颈部动脉标本，上下肢动脉标本，胸腹盆部动脉标本。

3. 整尸标本和人体半身模型。

【实验内容】

心脏

心脏的位置和外形，心尖，心底，胸肋面，膈面，心右缘，心左缘，冠状沟，前室间沟，后室间沟。

心腔结构，右心房—右心耳，上腔静脉口，下腔静脉口，冠状窦口，右房室口，卵圆窝；右心室—右房室口，三尖瓣，腱索，乳头肌，动脉圆锥，肺动脉口，肺动脉瓣；左心房—肺静脉口，左房室口，左心耳；左心室—左房室口，二尖瓣，腱索，乳头肌，主动脉前庭，主动脉口，主动脉瓣。

心脏传导系：窦房结，房室结，房室束的位置。

心的血管：动脉—左冠状动脉，前室间支，旋支，右冠状动脉，后室间支的位置；静脉—心大静脉，心中静脉，心小静脉，冠状窦的位置。

心包：纤维心包，浆膜心包（壁层，脏层和心包腔）。

肺循环的血管：肺动脉干以及动脉韧带，左肺动脉，右肺动脉，肺静脉。

主动脉的位置和分部：主动脉升部，主动脉弓，主动脉胸部和主动脉腹部；主动脉弓的分支—头臂干，左颈总动脉，左锁骨下动脉。

头颈部的动脉：颈总动脉，颈内动脉，颈外动脉，甲状腺上动脉，面动脉，舌动脉，上颌动脉，颞浅动脉，锁骨下动脉，椎动脉，胸廓内动脉，甲状颈干，颈动脉窦，颈动脉小球。

上肢的动脉：腋动脉，肱动脉，尺动脉，桡动脉，掌浅弓，掌深弓，指掌侧总动脉，指掌侧固有动脉。

胸部的动脉：支气管动脉，食管动脉，肋间后动脉，肋下动脉。

腹盆部的动脉：腹腔干，肠系膜上动脉，肠系膜下动脉，肾上腺中动脉，肾动脉，睾丸动脉或卵巢动脉，髂总动脉，髂内动脉、髂外动脉，阴部内动脉，腹壁下动脉。

下肢的动脉：股动脉，腘动脉，胫后动脉，胫前动脉，足背动脉，足底内侧动脉，足底外侧动脉。

实验十　循环系实验（二）

【目的要求】

1. 掌握上腔静脉、头臂静脉、颈内静脉、锁骨下静脉、静脉角、奇静脉、颈外静脉、头静脉、贵要静脉、肘正中静脉的位置。

2. 掌握下腔静脉、髂总静脉、髂内静脉、髂外静脉、肾静脉、大隐静脉、小隐静脉、门静脉、肠系膜上静脉、脾静脉的位置；门静脉侧支循环途径。

3. 掌握胸导管、右淋巴导管的位置，腋淋巴结群和腹股沟淋巴结群的位置。

4. 掌握脾的位置和形态。

【实验材料】

1. 头颈部静脉模型，胸腹盆部静脉标本，上下肢静脉标本，全身浅静脉模型，门静脉侧支循环模型。

2. 胸导管、右淋巴导管标本和模型，腋淋巴结群、腹股沟淋巴结群标本和模型。

3. 脾的标本和模型。

【实验内容】

上腔静脉系：上腔静脉，头臂静脉，静脉角，颈内静脉，面静脉，下颌后静脉，颞浅静脉，上颌静脉，颈外静脉，锁骨下静脉，手背静脉网，头静脉，贵要静脉，肘正中静脉，奇静脉，食管静脉丛，食管静脉，肋间后静脉，胸廓内静脉。

下腔静脉系：下腔静脉，髂总静脉，髂内静脉，髂外静脉，足背静脉弓，大隐静脉，小隐静脉，腹壁上静脉，腹壁下静脉，胸腹壁静脉，腹壁浅静脉，睾丸静脉或卵巢静脉，肾静脉，肾上腺静脉，肝静脉，门静脉，肠系膜上静脉，脾静脉，肠系膜下静脉，胃左静脉，附脐静脉，脐周静脉网，直肠静脉丛，直肠上静脉，直肠下静脉。

淋巴系，淋巴结，淋巴管，淋巴干（颈干，锁骨下干，支气管纵隔干，腰干，肠干），胸导管，乳糜池，右淋巴导管，腋淋巴结群，腹股沟淋巴结群。

脾的位置和形态：脾门，脾切迹。

实验十一　内分泌系、感觉器实验

【目的要求】

1. 掌握甲状腺、肾上腺、垂体的位置和形态。

2. 掌握眼球壁的层次，各层的分布及主要形态结构；房水、晶状体、玻璃体的位置。

3. 掌握眼睑、结膜和泪器的位置和分布。

4. 掌握外耳的分布以及耳廓的形态，鼓膜的位置、形态和分部。

5. 掌握中耳的位置和分布以及听小骨的名称和排列。

6. 掌握内耳的位置、分布及形态结构。

【实验材料】

1. 甲状腺、甲状旁腺、肾上腺、垂体、松果体和胸腺的标本和模型。

2. 眼球、眼副器标本和模型。

3. 前庭蜗器标本和模型，内耳模型。

【实验内容】

1. 甲状腺、甲状旁腺、肾上腺、垂体、松果体和胸腺的位置和形态。

2. 眼球、眼副器标本和模型。

眼球

眼球壁的层次，眼球纤维膜，眼球血管膜和视网膜。

纤维膜的分部以及形态结构，角膜和巩膜；巩膜静脉窦。

血管膜的分部以及主要形态结构：虹膜，睫状体和脉络膜；瞳孔，瞳孔括约肌，瞳孔开大肌，睫状肌，睫状小带。

视网膜的分部以及主要形态结构：虹膜部，睫状体部和视部；视神经盘（视神经乳头），黄斑，中央凹。

眼球内容物及其有关结构：房水，晶状体，玻璃体，眼球前房，眼球后房，虹膜角膜角隙。

眼副器

睑的位置，分布及其形态结构：上睑，下睑，睑裂，内眦，外眦。

结膜的位置和分布：球结膜，睑结膜，结膜穹隆（结膜上穹，结膜下穹，结膜囊）。

泪器的位置和分部：泪腺，泪道——泪点，泪小管，泪囊，鼻泪管。

眼球外肌：上直肌，下直肌，内直肌，外直肌，上斜肌，下斜肌，提上睑肌。

3. 前庭蜗器标本和模型，内耳模型。

前庭蜗器

外耳的分布：耳廓，外耳道和鼓膜。

耳廓的形态结构：耳轮，耳轮脚，对耳轮，对耳轮上、下脚，三角窝，耳舟，耳甲（耳甲艇和耳甲腔）耳屏，对耳屏，耳屏间切迹，耳垂。

外耳道的位置。

鼓膜的位置，分布及其形态结构：紧张部和松弛部；鼓膜脐，光锥。

中耳的位置和分布：鼓室，咽鼓管和乳突小房。

鼓室的形态结构及其内容物：鼓膜壁，迷路壁（岬，前庭窗，蜗窗）；锤骨，砧骨和镫骨。

咽鼓管和乳突小房的位置。

内耳的位置和分布：骨迷路，膜迷路。

骨迷路的分布及主要形态结构：骨半规管，前庭和耳蜗；骨壶腹，蜗螺旋管，骨螺旋板，前庭阶，鼓阶。

膜迷路的分布及主要形态结构：膜半规管，椭圆囊，球囊，蜗管；膜壶腹，壶腹嵴，椭圆囊斑，球囊斑，基底膜，螺旋器。

实验十二　神经系实验（一）

【目的要求】

1. 掌握神经系常用术语。

2. 掌握脊髓的位置、外形和内部结构。

3. 掌握脊神经颈、臂、腰、骶丛的位置以及各丛主要分支的位置走行；膈神经，尺神经，正中神经，肌皮神经，桡神经，股神经，坐骨神经，胫神经，腓总神经，腓浅神经，腓深神经。

【实验材料】

1. 脑和脊髓全貌标本，脑和脊髓水平切面标本，脊髓模型。

2. 整尸标本和上下肢神经标本。

【实验内容】

1. 概述

中枢神经系和周围神经系，脑和脊髓，脑神经和脊神经，躯体神经和内脏神经，灰质，白神经核，神经节，纤维束，神经。

2. 脊髓

脊髓的位置和外形：前正中裂，后正中沟，前外侧沟，后外倒沟，颈膨大，腰骶膨大，脊髓圆锥，终丝，前根，后根，脊神经，脊神经节，马尾，背髓节段。

脊髓内部结构：灰质——灰质连合，前角（柱），后角（柱），侧角（柱），中央管；白质——前索，外侧索，后索，白质前连合，薄束，楔束，脊髓丘脑前束，脊髓丘脑侧束，皮质脊髓侧束，皮质脊髓前束。

3. 脊神经

脊神经前支和后支。

颈丛：组成，位置，内侧束，外侧束，后束，尺神经，正中神经，肌皮神经，桡神经，腋神经。

胸神经前支，肋间神经，肋下神经。

腰丛：组成，位置，股神经，隐神经。

骶丛：组成，位置，坐骨神经，胫神经，腓总神经，腓浅神经，腓深神经，阴部神经。

实验十三 神经系实验（二）

【目的要求】

1. 掌握脑干的位置、分部、外形的主要内部结构。
2. 掌握小脑的位置和外形。
3. 掌握间脑的位置和分部。
4. 掌握大脑半球的外形、分叶、主要沟回和主要内部结构。

【实验材料】

1. 脑干标本和模型，脑干神经核团模型。
2. 全脑标本和模型，各种切面的脑标本。

【实验内容】

脑的位置和分部。

1. 脑干

脑干的位置和分部。延髓，脑桥和中脑。

脑干的外形：延髓——前正中裂，锥体，锥体交叉，薄束结节，楔束结节，小脑下脚；脑桥——基底沟，小脑中脚，菱形窝（第四脑室底）；中脑——大脑脚，脚间窝，上丘，下丘，叠体或顶盖，小脑上脚。

脑干内部结构：脑神经核——动眼神经核，三叉神经运动核，面神经核，疑核，舌下神经核，动眼神经副核，迷走神经背核，孤束核，三叉神经感觉核；非脑神经核——薄束核，楔束核，黑质，红核；脑干的纤维束——锥体束，内侧丘系，脊髓丘系，三叉丘系，脑干网状结构

2. 小脑

小脑的位置和外形：小脑蚓，小脑半球，小脑扁桃体。

脑内部结构：小脑皮质，小脑髓质，齿状核。

3. 间脑

间脑的位置和分部：背侧丘脑，后丘脑，下丘脑。

第三脑室的位置。

背侧丘脑，丘脑间粘合，下丘脑沟。

后丘脑：外侧膝状体，内侧膝状体。

下丘脑，视交叉，视束，漏斗，垂体。

4. 大脑

大脑半球，大脑纵裂，胼胝体，大脑沟，大脑回。

大脑半球的外形：三个面——上外侧面，内侧面，下面或底面；五叶——额叶，顶叶，枕叶，颞叶和岛叶；主要的沟回——中央沟，外侧沟，顶枕沟，中央前沟，中央前回，中央后沟，中央后回，额下回，颞横回，中央旁小叶，距状沟，海马旁回钩，扣带沟，扣带回，边缘叶。

大脑半球内部结构：大脑皮质及其功能定位——躯体运动中枢，躯体感觉中枢，视觉中枢，听觉中枢，运动性语言中枢（说话中枢）；基底核——尾状核，豆状核（壳和苍白球）；大脑白质——联络纤维，连合纤维，投射纤维（内囊的位置的分部——内囊前脚，内囊后脚，内囊膝）。

实验十四　神经系实验（三）

【目的要求】

1. 掌握脑神经的名称，顺序和第 2、3、5、7、10、12 对脑神经的分布概况以及第 5、10 对脑神经的主要分支及其分布。

2. 掌握躯干四肢意识性本体感觉传导路和浅感觉传导路，视觉传导路，皮质脊髓束和皮质脑干束传导路。

【实验材料】

1. 脑神经标本和模型。

2. 传导路模型。

【实验内容】

脑神经。

脑神经的名称和顺序。

嗅神经：入颅部位，嗅球，嗅束。

视神经：入颅部位，视交叉和视束。

动眼神经：出脑部位，出颅部位和分布概况。

滑车神经的支配对象。

三叉神经：连接脑的部位，三叉神经节，三支分支——眼神经，上颌神经和下颌神经及它们的分布概况。

展神经的支配对象。

面神经的分布概况。

位听神经的分布概况。

舌咽神经的分布概况。

迷走神经：走行位置，主要分支的分布概况。

副神经的支配对象。

舌下神经的支配对象。

脑和脊髓的传导通路。

躯干四肢意识性本体感觉传导路：感受器的位置，由周围传入中枢的途径，三级神经元脑体所在的部位，传导途径中各纤维束的名称和位置，交叉的部位，中枢投射定位。

躯干四肢浅感觉传导路：同上。

视觉传导路：同上。

皮质脊髓束传导路，中枢起始部位，传导束经过的主要部位，交叉部位，交换神经元部位，传导终止部位。

皮质脑干束传导路：中枢起始部位，传导束经过的主要部位，对脑神经躯体运动核的支配概况，传导终止部位。

实验十五　神经系实验（四）

【目的要求】

1. 掌握交感神经节的位置，交感干的组成和位置。
2. 掌握脑和脊髓被膜的层次和三层被膜形成的主要结构。
3. 掌握脑室以及室间孔、中脑水管的位置。
4. 掌握颈内动脉和椎动脉的颅内主要分支以及大脑动脉环的组成。

【实验材料】

1. 内脏神经系标本和模型。
2. 脑和脊髓玻膜标本和模型，脑室标本和模型，脑血管标本和模型。

【实验内容】

1. 内脏运动神经

交感神经：低级中枢所在部位，交感神经节的名称和位置（椎旁神经节，椎前神经节），交感干的组成和位置，交感干与脊神经的联系（白交通支，灰交通支）。

副交感神经：低级中枢所在部位，副交感神经节的名称和位置（器官旁节，器官内节）。

2. 脑和脊髓被膜

硬膜：硬脊膜以及硬膜外腔；硬脑膜及其形成的结构大脑镰，小脑幕，小脑幕切迹，硬脑膜窦（上矢状窦；横窦，乙状窦，海绵窦）。

蛛网膜及其形成的结构-蛛网膜下腔，蛛网膜下池（终池，小脑延髓池），蛛网膜粒。

软膜：软脊膜，软脑膜以及脉络丛。

3. 脑室和脑脊液

侧脑室位置和分部（中央部，前角，后角，下角）。

第三脑室位置以及室间孔和中脑水管的位置。

第四脑室位置以及第四脑室正中孔和外侧孔。

4. 脑和脊髓血管

脑的动脉：颈内动脉——眼动脉，大脑前动脉，大脑中动脉，后交通动脉；椎动脉——基底动脉，大脑后动脉。

大脑动脉环的位置及组成：前交通动脉，大脑前动脉，颈内动脉，后交通动脉，大脑后动脉。

第八章　组织胚胎学

实验一　上 皮 组 织

【目的要求】

掌握单层立方上皮、单层柱状上皮，假复层柱状纤毛上皮、复层扁平上皮的结构，了解单层扁平上皮、变移上皮的结构。

【实验材料】

甲状腺切片，空肠切片，气管切片，食管切片，肾切片，膀胱切片。以上切片均为 HE 染色。

【内容和方法】

（一）甲状腺切片

低倍镜：找到大小不等、腔内含红色胶状物质的滤泡。

高倍镜：滤泡壁由单层立方形细胞组成，核为圆形，位于细胞中央。

（二）空肠切片

低倍镜：找到小肠壁的最内层，可见有许多呈指状突起的绒毛，覆盖绒毛表面的上皮为单层柱状上皮。柱细胞间夹有杯状细胞。

高倍镜：上皮细胞呈柱状，排列紧密，细胞核呈卵圆形，染成紫蓝色，位于细胞基底部，与细胞长轴平行，细胞质染成淡红色。杯状细胞基部略细，核呈三角形或扁圆形，位于细胞基底部，胞质透亮。

（三）气管切片

低倍镜：气管壁最内面着色较深的一层为假复层柱状纤毛上皮。游离面有密集纤毛；细胞排列紧密，界限不清楚，其间夹有透亮的杯状细胞；核的位置高低不等。

高倍镜：上皮由高低不等、形状不同的细胞组成，但所有细胞的基底部均附于基膜上。柱状细胞游离面有许多纤毛，核位置较高；梭形细胞夹在柱状细胞之间，核位置居中；基底细胞呈锥体形，紧贴基膜，核位置最低；杯状细胞夹在上皮细胞间，胞质透亮，核居中。

（四）食管切片

肉眼观察：管壁内面着色较深的一层为复层扁平上皮。

低倍镜：上皮由十多层细胞组成，细胞的形状和厚薄不一，故这种上皮基底面凹凸不平，基底层细胞为一层立方形或矮柱状细胞，细胞排列紧密，着色深，核圆形，中间为数层多角形细胞，浅层为几层扁平细胞。

（五）肾切片（示教）

高倍镜：肾小囊壁层为单层扁平上皮。细胞连接呈线状，核扁圆形，与细胞长轴平行，胞质很薄，只在含核部分略厚，细胞间界限不明。

（六）膀胱切片（示教）

低倍镜：膀胱收缩时，上皮变厚，由 6~7 层细胞组成，其表面细胞较大，呈梨形或大立方形，核圆形，1~2 个，居细胞中央；中层为几层多角形细胞；深层细胞为立方形或低柱状。膀胱膨胀时，上皮变薄，只有 2~3 层细胞，表层细胞多呈扁平形。

小结和思考题

1. 上皮组织的一般特征？
2. 按形态和功能，上皮组织可分哪几类？
3. 对照组织切片，分别说明各类被覆上皮有何结构特点。

实验二 结缔组织

【目的要求】

掌握成纤维细胞，巨噬细胞和肥大细胞的形态结构，区别胶原纤维和弹性纤维；掌握骨密质的组织结构；掌握透明软骨的组织结构；了解弹性软骨的结构；了解骨的成骨的过程。

【实验材料】

皮下组织铺片（活体注射台盼蓝染料，HE 染色），胫骨骨磨片（大理紫染色），气管切片（HE 染色），耳廓切片（HE 染色），三个月胎儿股骨纵切切片（HE 染色）。

【内容和方法】

（一）皮下组织铺片

低倍镜：胶原纤维较粗，呈波浪状，染成淡红色，弹性纤维较细，染成红紫色。上述二种纤维都交织成网，网孔中可见多种细胞。

高倍镜：胶原纤维呈较粗的束状，常有分支，交织成网，纤维的长度和粗细不一。弹性纤维较细，排列散乱，可有分支，稀疏交织。成纤维细胞多呈扁平状或梭形；有突起，细胞轮廓不明显，核椭圆形。巨噬细胞多为圆形或卵圆形，常见短而钝的突起，核较小呈卵圆形色深。胞质多为嗜酸性，内有吞噬的台盼蓝颗粒。肥大细胞呈圆形或卵圆形，核较小而圆，着色淡，胞质内充满粗大的桔红或紫红色颗粒。

（二）胫骨骨磨片

低倍镜：可见多个大小不等，呈同心圆排列的骨单位（又称哈佛系统），每个骨单位由5~20同心圆排列的骨板围成。骨板间有3~6层呈紫黑色的骨陷窝，从骨陷窝向四周发出许多放射状的黑线即骨小管；每个骨单位中央有一管腔即中央管（又哈佛管），填空在骨单位之间的一些不规则平行骨板即间骨板。有时可见连在中央管之间的佛克曼管（又称穿通管），骨单位与间骨板交界处可见呈透亮的粘合线；有的骨磨片上还可见到外环骨板或内环骨板。

高倍镜：每个骨单位的中央管呈圆形或椭圆形，有时可见中央管之间有佛克曼管相连，从骨陷窝发出的骨小管穿越骨板互相通连。

（三）气管切片

肉眼观察：气管壁上紫色或紫蓝色的环形结构即为透明软骨。

低倍镜：可见染成紫色的软骨基质和位于软骨陷窝内的软骨细胞，软骨细胞周围着色较深的基质为软骨囊，近软骨表面的细胞呈扁椭圆形；在软骨中央的细胞呈球形，常成对或成群存在。基质内看不到纤维。软骨四周包有软骨膜。

高倍镜：软骨细胞呈扁椭圆形或球形，核圆形或椭圆形，位于细胞中央；胞质弱嗜碱性，胞质内有空泡（被溶解了的脂肪或动物淀粉）。软骨囊着色较他处的基质深。

（四）耳廓切片（示教）

高倍镜：软骨细胞呈圆形或椭圆形，基质内可见染成深红色的弹性纤维，这些纤维常分支并交织成网。

（五）三个月胎儿股骨纵切切片

低倍镜：在切片上可区分出由两端到骨髓腔分为四个区。

静止软骨区：位于骨骺端，内含许多小的幼稚软骨细胞，多呈分散排列，软骨基质少，着淡紫红色。

软骨细胞增生区：位于静止软骨区近骨干侧，软骨细胞较大，常见细胞分裂，依骨的长轴呈纵行排列，基质着色较深。

软骨基质钙化区：此区软骨细胞肥大而圆，呈空泡状，核固缩，基质着深紫色。

成骨区：此区内可见原始骨髓腔（初级髓腔），腔中有血管、成骨细胞和破骨细胞等。在腔中还可见到交织成网的骨小梁。

小结和思考题

1. 比较结缔组织与上皮组织在结构上有何差异。
2. 疏松结缔组织由哪几种成分构成？其主要细胞的结构特点和功能如何？
3. 软骨组织的一般结构及三种软骨的结构特点。
4. 骨组织的一般结构及骨密质内骨板排列的方式如何？
5. 试述软骨内成骨的过程。

实验三 血 液

【目的要求】

掌握各种血细胞的形态结构特点。

【实验材料】

人血涂片（瑞氏染色）

【内容和方法】

低倍镜：在视野内看到的许多染成红色的无核细胞，为红细胞；在红细胞间散布的有核细胞，为白细胞；常聚集成群的不规则小体，为血小板。选一个血细胞分布均匀的区域。

高倍镜：观察红细胞和各种白细胞。注意红细胞和白细胞在数量与大小上的大致比例。在看清楚某一血细胞之后，再换油镜进行观察。

油镜：将高倍镜头转向一侧，在玻片上（对着镜台的圆孔处）滴一滴香柏油或液体石蜡，然后将油镜头轻轻移向玻片，对准观察部位，用粗调节螺旋，将镜筒小心下降（从侧面观察），使油镜头接触油滴，此时，一面从目镜观察，一面转动细调节螺旋，直至视野内能看清细胞为止。观察完毕后，转动粗调节螺旋，使镜筒上升，以擦镜纸沾少许二甲苯擦净镜头上的油滴。

1. 红细胞　在涂片上呈圆形、无核，染成淡红色，中央部分着色比边缘部浅。

2. 中性粒细胞　胞质内有细小而分布均匀的淡紫红色颗粒，核染成紫蓝色，有2~5个核叶，各核叶间可见有细丝相连。

3. 嗜酸粒细胞。较少，胞质内有许多粗大而分布均匀的鲜红色颗粒，核紫蓝色，通常分为二叶。

4. 嗜碱粒细胞　数量很少，胞质内有大小不等、分布不均的紫蓝色颗粒，核呈S形或不规则形，着色较颗粒浅。

5. 淋巴细胞　可见到大、中、小三型淋巴细胞。小淋巴细胞比红细胞略小，核呈圆形或卵圆形，一侧有凹痕，染成深紫蓝色，胞质少，围在核周围，染成天蓝色。大、中型淋巴细胞胞质较多，着色较浅，核呈圆形或肾形。

6. 单核细胞　体积最大，胞质较多，染成浅灰蓝色，核呈肾形或卵圆形，常偏于细胞一侧，着色较淋巴细胞浅。

7. 血小板　为不规则的紫蓝色小体，中央部分含有着紫蓝色的颗粒，周边部呈均质的浅蓝色，在红细胞之间常聚集成群。

小结和思考题

1. 各种血细胞的形态结构特点、功能和正常值。
2. 在光镜下正确区别各类血细胞。

实验四　肌组织、神经组织

【目的要求】

掌握骨骼肌、心肌、平滑肌的形态结构；掌握多极运动神经元的形态结构；了解运动终板、周围神经的一般结构。

【实验材料】

骨骼肌纵横切面切片（特殊染色），心肌纵横切面切片（特殊染色）。平滑肌分离装片，脊髓横切切片（HE染色），肋间肌压片（氯化金法），坐骨神经切片（HE 染色）。

【内容和方法】

（一）骨骼肌纵、横切面切片。

低倍镜：找到纵切（长条形）和横切（圆形或多边形）的肌纤维，肌纤维间可见着色较浅的结缔组织。

高倍镜：纵切面的肌纤维可见到明暗相间的横纹，核呈卵圆形或杆状，位于肌膜下面。横切面的肌纤维呈圆形或多边形，边缘为肌膜。核呈卵圆形，位于肌膜内侧。肌原纤维呈点状。

（二）心肌纵、横切面切片

低倍镜：找到纵切及横切的肌纤维。纵切肌纤维有分支，肌纤维同为结缔组织。

高倍镜：纵切的肌纤维有分支，并互连成网，相邻心肌纤维分支连接处，可见着色较深的横形或阶梯状粗线，称闰盘。横纹不如骨骼肌纤维明显，核呈卵圆形，位于肌纤维中央。横切肌纤维呈圆形或不规则形，核位于肌纤维中央（多数未切到核）。肌原纤维呈点状，多分布于肌膜下面。

（三）平滑肌分离装片

低倍镜：找到染成红色的分离平滑肌纤维。

高倍镜：平滑肌纤维呈长梭形，中间粗两端细，核呈椭圆形或杆伏，染成深红色，居肌纤维中央。肌浆染成淡红色。

（四）脊髓横切切片

肉眼观察：切片中央染成深蓝色的“H”形区域为脊髓灰质，其中含有许多神经元。

低倍镜：找到灰质前角，其内含有大而呈多角形的神经元。

高倍镜：神经元的胞体呈多角形，可见到突起，核圆形着色淡，核仁明显；胞质呈淡红色，内含有紫蓝色小块即尼氏体。轴丘呈圆锥状，此处染色淡而无尼氏体。

（五）肋间肌压片（示教）

低倍镜：骨骼肌纤维呈浅紫色，运动神经纤维呈棕黑色，发出许多树枝状分支，分支末端呈扣状膨大，终止于骨骼肌纤维肌膜，即为运动终板。

（六）坐骨神经切片

低倍镜：纵切面可见每条神经纤维呈波纹状，且平行排列。横切面可见神经纤维呈大小不等的圆形。

高倍镜：纵切面每条神经纤维中有一条紫蓝色线条，即为轴突。髓鞘呈节段性包在轴突外面（制片时髓鞘被溶解而呈空网状），郎飞结处无髓鞘，髓鞘外面可见到浅红色的神经膜及其细胞核［即施万（雪旺）细胞］。横切面每条神经纤维呈大小不一的圆形，纤维中央紫蓝色圆点为轴突，外包浅红色网状的髓鞘及神经膜，有时可见到神经膜细胞核。

小结和思考题

1. 比较三种肌纤维在光镜下形态结构的异同点。
2. 神经元的组成及结构特点。
3. 神经元之间是怎样联系的？其结构如何？
4. 何谓神经纤维？试述有髓神经纤维的结构。
5. 何谓运动终板？其结构如何？

实验五　神 经 系 统

【目的要求】

掌握脊髓的组织结构；了解大脑皮质的分层，掌握大脑皮质主要细胞类型的形态结构；了解小脑皮质的分层，掌握小脑皮质主要神经元结构特点；掌握脊神经节的一般结构及假单极神经元的结构特点，了解交感神经节的一般结构。

【实验材料】

脊髓横切切片（浸银法），大脑皮质切片（浸银法或 HE 染色），小脑皮质切片（浸银法或 HE 染色），脊神经节切片（HE 染色），交感神经节切片（HE 染色）。

【内容和方法】

（一）脊髓横切切片

肉眼观察：脊髓横切面呈扁圆形，脊髓中央染色较深呈“H”形部分为灰质，包在灰质间染色浅的部分为白质。

低倍镜：灰质的前角粗而短，内有大小不等的多极运动神经元，后角较细长，可见到多极的中间神经元，侧角内含有中等大小的交感神经元（属多极神经元）。有的切片无侧角。白质内可见大量神经纤维束，这些神经纤维束被脊髓前后根分隔成前索、侧索和后索三个区域。

高倍镜：可清楚辨认出灰质内各类多极神经元的形态结构以及其周围的神经胶质细胞核和神经纤维。

（二）大脑皮质切片

低倍镜：锥体细胞分大、中、小三型，数目较多，胞体呈锥形，从锥体发出一条较粗的主树突，伸向皮质表面，从脑体底部发出一很细的轴突，轴突长短不一；颗粒细胞数目最多，胞体较小，呈颗粒状，轴突多数较短。这类细胞有星形细胞、水平细胞和蓝细胞几种。梭形细胞数量较少，主要分布于皮质深层，胞体呈梭形，树突从胞体上、下端发出，上端树突多达皮质表面，轴突自下端树突主干发出，请辨认其轴树突，在 HE 染色切片上，可见大脑皮质由外向内分为六层。

高倍镜：重点观察锥体细胞、颗粒细胞和梭形细胞的形态结构，比较其结构特点。

（三）小脑皮质切片

低倍镜：小脑皮质分为三层。分子层较厚，主要细胞有浅层的小星形细胞和深层的篮状细胞；节细胞层由浦肯野细胞组成；颗粒层有颗粒细胞和高尔基细胞组成。

高倍镜：小星形细胞胞体较小，多突起，轴突较短，分布于浅层；篮状细胞胞体较大，分布于深层，轴突较长，沿途发出许多侧支呈篮状包绕浦肯野细胞体上；浦肯野细胞体最大，呈梨形，树突分支多，形如扁柏树枝状；颗粒细胞胞体小，呈圆形，树突较短，末端分支为爪状，轴突较长，伸向分子层，其末端呈 T 字形分支；高尔基细胞胞体较大，树突分支较多，大都伸入分子层，轴突极短，在颗粒层内呈丛密分支。

（四）脊神经节切片

低倍镜：脊神经节外包被膜，内有大量的神经纤维束，假单极神经元被神经纤维束分隔成群。

高倍镜：假单极神经元胞体呈圆形或卵圆形，大小不一，核圆形位于胞体中央，核仁明显。细胞着色淡红，胞质内可见细小颗粒状的尼氏体，突起不易见到，胞体周围可见一层扁平的卫星细胞（又称被囊细胞），该细胞核圆或卵圆形，染色较深。

（五）交感神经节切片（示教）

高倍镜：交感神经节外包被膜，节内为多极神经元，胞体较小，散在分布，核常偏于细胞一侧，胞质内尼氏体呈颗粒状；节内神经纤维排列较分散，卫星细胞数量较少，不完全包在节内细胞的胞体上。

小结和思考题

1. 脊髓灰质内主要神经元的位置、结构特点及其联系。
2. 大脑皮质三类细胞的结构特点及大脑皮质的分层。
3. 小脑皮质的分层及各层主要细胞的形态结构。
4. 比较脊神经节与交感神经节在结构上的差异。

实验六　循 环 系 统

【目的要求】

掌握血管壁的一般结构及中等动静脉在形态结构上的区别，掌握心脏壁三层结构及其特点，掌握淋巴结、脾的组织结构，了解胸腺的一般结构及其特点。

【实验材料】

中等动静脉横切切片，心脏切片，淋巴结切片，脾切片，胸腺切片。以上切片均为 HE 染色。

【内容和方法】

（一）中等动静脉横切片

低倍镜：中等动脉的管腔较小而整齐，管壁较厚。近管腔面可见一条红色呈波浪状反光强的曲线，即内弹性膜，其外为多层平滑肌组成的中膜，最外层为结缔组织组成的外膜。三层膜分界明显。中等静脉的管腔较大而不规则，管壁较薄，三层膜分界不明显。

高倍镜：中等动脉内皮为单层扁平上皮，一般只见其细胞核；内皮下层为薄层结缔组织，因制片时收缩，故厚薄不等；内弹性膜呈红色波浪状；中膜内有 10~40 层环行平滑肌，排列紧密，核细长，肌间夹有少量弹性纤维和胶原纤维等。外膜由结缔组织构成，与中膜交界处可见多层弹性纤维或一层明显的外弹性膜。中等静脉的内弹性膜不明显，中膜肌层薄，外膜比中膜厚，无外弹性膜。

（二）心脏切片

低倍镜：可见心壁分为三层。心壁最内层为心内膜；心肌层最厚，由心肌纤维组成；心外膜属浆膜，由间皮和其下的薄层结缔组织构成。

高倍镜：心内膜最里面一层为内皮；内皮外为内皮下层，主要由结缔组织构成；内皮下层以外为心内膜下层，由疏松结缔组织构成，在心室此层内可见到心脏传导纤维——浦肯野纤维的断面。心肌层可大致分内纵、中环和外纵三层心肌纤维。

（三）淋巴切片

低倍镜：淋巴结表面有染成红色的结缔组织被膜，被膜内可见小血管和输入淋巴管的断面，被膜结缔组织伸入实质形成小梁，小梁染成红色。被膜下方为皮质，近被膜处皮质内可见排列成层的淋巴小结，小结由淋巴组织密集而成，呈球形或椭圆形，周围染色深，中央染色浅即为生发中心，位于皮质深层的一片弥散淋巴组织称副皮质区。被膜下以及淋巴小结与小梁间的空隙为皮质淋巴窦。髓质位于淋巴结中央，可见由淋巴组织构成的髓索，彼此相连成网，髓索间或者髓索与小梁间的空隙为髓质淋巴窦。

高倍镜：功能活跃的淋巴小结切面上可区分出帽区、明区和暗区三部分。帽区由小淋巴细胞密集而成，位于生发中心顶部及周围，染色深；明区位于生发中心外侧，由网状细胞和中等大的淋巴细胞组成，着色较淡，暗区位于生发中心内侧，由大淋巴细胞组成，着色深。副皮质区内可见毛细血管和微静脉的断面。淋巴窦由扁平的内皮细胞围成，淋巴窦内可见网状细胞及巨噬细胞等。

（四）脾切片

低倍镜：脾的表面有较厚的结缔组织被膜。由被膜发出索状的小梁伸入实质内，小梁呈红色，被切成块状或索状，内有小梁动静脉。实质分白髓和红髓。白髓散布于实质中，其中包在中央动脉周围的淋巴组织称动脉周围淋巴结鞘，在其一侧可见由淋巴细胞密集而成的球形结构称淋巴小结（又称脾小体）。红髓呈红色，其中可见由富含血细胞的淋巴组织构成的脾索，脾索互连成网，脾索之间的不规则腔隙为脾窦，在红、白髓交处为边缘区。

高倍镜：脾窦由杆状内皮细胞围成，切片上杆状内皮细胞被横断成圆形，核突入窦内，窦中可见各种血细胞。脾索中可见弥散的淋巴细胞、巨噬细胞和其他的血细胞等。

（五）胸腺切片（示教）

低倍镜：胸腺表面包有结缔组织被膜。实质分为许多不完整的小叶，每一小叶又可分为周边的皮质和中央的髓质。皮质由密集的淋巴细胞和上皮性网状细胞组成，染色较深；髓质内淋巴细胞较少而上皮性网状细胞较多，着色较浅，髓质内常见粉红色的胸腺小体，它是由多层扁平的上皮性网状细胞围成的同心圆结构。

小结和思考题

1. 中等动、静脉在结构上有何异同点？
2. 心脏壁的结构如何？
3. 淋巴结与脾在结构和功能上的差异。
4. 何谓淋巴组织？它可分哪两种？
5. 胸腺的结构和功能。

实验七　消化系统

【目的要求】

掌握消化管壁的四层结构；掌握食管壁，胃底腺、小肠粘膜、胰腺内、外分泌部的组织结构；掌握肝小叶的形态结构及门管区的位置和结构；了解十二指肠、结肠的结构特点。

【实验材料】

食管横切切片，胃底纵切切片，小肠横切切片，胰腺切片，肝脏切片，十二指肠切片，结肠切片。以上切片均为HE染色。

【内容和方法】

（一）食管横切切片

低倍镜：食管壁由内向外依次分为四层。粘膜的表层为复层扁平上皮，上皮下面为固有膜，粘膜肌层为薄层纵行平滑肌，位于固有膜的深面，粘膜下层为疏松结缔组织，内含食管腺；肌层分内环、外纵两层。外膜由纤维膜组成。

（二）胃底纵切切片

低倍镜：胃壁由内向外依次分为四层。粘膜表层为单层柱状上皮，在

HE 染色切片中，因细胞顶部的粘原颗粒被溶解，故细胞顶部呈空泡状；固有膜中可见大量胃底腺，切片上有纵、横、斜各种切面；固有膜深面可见呈红色的粘膜肌层，它为内环、外纵的平滑肌。粘膜下层染成浅红色，由疏松结缔组织构成。肌层很厚，外膜为浆膜。

高倍镜：观察胃底腺三种细胞的形态结构特点。主细胞（胃酶细胞）主要分布于腺的体部及底部，细胞呈柱状或锥形，胞质嗜碱性，染成淡蓝色，核圆形，位于细胞基部。壁细胞（盐酸细胞）多位于腺的体部和颈部，胞体较大，呈卵圆形或三角形，胞质嗜酸性，染成红色，核圆形，位于细胞中央。颈粘液细胞主要分布于腺的颈部，细胞呈低柱状，核扁圆形位于细胞基部，胞质着色浅，切片上此细胞不易辨认。胃底腺的开口处为胃小凹。

（三）小肠横切切片

低倍镜：区分出管壁的四层结构，粘膜表面可见许多细小的突起，称肠绒毛；绒毛表面为单层柱状上皮细胞。调节细螺旋可见上皮表面有一层染成深红色的细线，称纹状缘；柱状上皮细胞间夹有发亮的杯状细胞；绒毛中轴为固有膜，内含毛细血管、中央乳糜管和散在的平滑肌纤维。绒毛根部的上皮下陷至固有膜形成管状的肠腺，在切片上可见纵、横和斜形的肠腺切面。固有膜内还可见到分散的淋巴细胞和孤立淋巴小结。

高倍镜：重点观察肠绒毛和肠腺的纵横切面，比较两者有何结构上的异同点。

（四）胰腺切片

低倍镜：可见胰腺的实质被伸入的结缔组织分隔成许多小叶。小叶内可见到许多染成紫红色的囊泡即腺泡，在外分泌部腺泡间，有大小不一染色淡的细胞团即为胰岛，在腺泡间和结缔组织内还可见到胰腺导管的断面。

高倍镜：腺泡由锥形腺细胞组成，细胞顶部含许多红色的酶原颗粒，核圆形，位于细胞基部；腺泡腔内可见到着色较淡的泡心细胞，细胞呈扁平形或立方形。胰岛着色较浅，胰岛内细胞排列成不规则团索状，其间可见血窦，特殊染色切片可显示出甲（A）、乙（B）丙（D）三种细胞。甲细胞体积较大，多分布于胰岛外周部，细胞质内可见红色颗粒；乙细胞体积较小，多分布于胰岛中央部，胞质内可见桔黄色颗粒；丙细胞散在于甲、乙细胞间，胞质内有蓝色颗粒。上述三种细胞各有何功能？HE 染色切片，三种细胞不易区分，但甲细胞染色较深，乙细胞染色浅。

（五）肝脏切片

低倍镜：肝小叶横切面呈大小不一的多边形（人的肝小叶分界不清，猪的肝小叶分界明显），近小叶中央有一大小不等的近圆形腔隙，称中央静脉。肝细胞以中央静脉为中心，呈索状向四周呈放射状排列，称肝细胞索（立体观呈板状称肝板），彼此互连成网。肝细胞索之间的不规则腔隙称肝血窦。门管区是位于几个肝小叶之间的一些近似三角形的区域，内有结缔组织及小叶间动脉，小叶间静脉和小叶间胆管的断面。有时在小叶间的结缔组织中，可见到一个单独的静脉，即小叶下静脉。

高倍镜：肝细胞呈多边形，核圆形，位于细胞中央。肝血窦的壁由两种细胞组成，内皮细胞呈梭形，核扁圆形突向腔面，内皮细胞间有间隙存在，肝巨噬细胞形态不规则，常有突起附于内皮细胞表面或插入内皮细胞间，有时可见胞质内有吞噬颗粒。门管区内的小叶间动脉，管径较细，腔较小，管壁较厚，内皮外有几层环行平滑肌；小叶间静脉腔大壁薄而不规则，内皮外仅有少量散在的平滑肌；小叶间胆管的管壁由单层立方或低柱状上皮细胞构成。

（六）十二指肠切片（示教）

低倍镜：其主要特点是在粘膜下层内有大量十二指肠腺，属粘液性腺，由单层柱状上皮细胞构成。比较十二指肠腺与肠腺结构上有何区别。

（七）结肠切片（示教）

低倍镜：结肠壁也分四层，结肠粘膜不形成环形皱襞和绒毛，肠腺多且长，肠腺中杯状细胞很多，但无潘氏细胞。固有膜内可见孤立淋巴小结，常穿越粘膜肌层而突入粘膜下层。

小结和思考题

1. 食管壁的结构。
2. 比较胃、小肠和大肠各层的结构特点。
3. 胃底腺、肠腺和绒毛的结构和功能。
4. 肝小叶和门管区的结构如何？
5. 胰腺外分泌部和内分泌部的结构和功能。

实验八　呼吸系统、泌尿系统

【目的要求】

掌握呼吸道的基本组织结构；掌握肺的导管部和呼吸部的组织结构。掌握肾脏的基本结构；掌握肾小体及肾小管各段的组织结构；了解肾小球旁器的位置、结构和集合小管的结构；了解肾血管分布情况；了解致密斑的位置及结构特点。

【实验材料】

气管切片，肺切片，肾切片，致密斑，以上均为 HE 染色。肾血管注射，为特殊染色处理。

【内容和方法】

（一）气管切片

低倍镜：气管壁由内向外一般分为三层。粘膜上皮为假复层柱状纤毛上皮，上皮由基底细胞、梭形细胞和柱状细胞组成。固有膜内有弹性纤维。粘膜下层由疏松结缔构成，与固有膜无明显界限，该层内含有混合腺—气管腺。外膜由透明软骨环和其外方的结缔组织构成，透明软骨染成紫蓝色。

（二）肺切片

低倍镜：可见肺是由许多蜂窝状结构的肺泡构成。肺泡间有各级支气管及伴随的血管。小支气管的管腔呈较大的不规则形，固有膜内有不完整的环行平滑肌，粘膜下层有混合腺，外膜内透明软骨呈片状。

细支气管的粘膜向腔内突出形成许多皱襞，腺体及软骨片大多已消失，平滑肌纤维相对增多，连成环形肌层。

终末细支气管的皱襞明显，腺体及软骨片均已消失，平滑肌形成一完整环行肌层。

呼吸性细支气管的管壁不完整，壁上有肺泡相连接。

肺泡管细而弯曲，是由许多肺泡组成的管道，管壁不完整，仅在相邻肺泡开口之间有薄层结缔组织和少量平滑肌，在切片中形成结节状膨大，成为该管的结构特征。

肺泡囊结构与肺泡管相似，但在肺泡开口处无平滑肌，故切片无明显结节状膨大。

高倍镜：肺泡隔内可见到丰富的毛细血管及较多的弹性纤维，有时还可见到肺泡吞噬细胞（隔细胞）。

（三）肾脏切片

低倍镜：肾表面为结缔组织被膜，肾的外周部染色较深为皮质，中央部染色较淡为髓质。肾皮质内可见许多肾小体和肾小管的切面，髓质内有集合小管、肾小管的断面等结构。

高倍镜：肾小体呈圆球形，由血管球和肾小囊组成。血管球由毛细血管盘曲而成；肾小囊的壁层为单层扁平上皮，镜下只见蓝色的核突向囊腔，脏层紧贴血管球，不易与血管内皮细胞区分，两层之间的腔隙为肾小囊腔。

近曲小管位于肾小体周围，染成深红色，管腔小而不规则，管壁由锥形细胞组成，细胞界限不清，细胞游离面可见刷状缘。

远曲小管位于肾小体周围，染成粉红色，腔大较规则，管壁上皮为立方形细胞，细胞界限也不甚清楚。在近血管极处一侧的远曲小管管壁细胞呈高柱状，排列紧密，核染色深，称致密斑。

细段位于髓质，管腔很小，由单层扁平上皮细胞组成，核卵圆形，突向腔面，注意与毛细血管的区别。

远端小管直部位于髓质，管壁由单层立方细胞组成，染成浅红色，细胞界限较清楚。

集合小管位于髓质，管壁由单层立方或柱状细胞组成，染成浅红色，胞质透亮，细胞界限清楚。

（四）肾血管注射（示教）

低倍镜：血管球为一团毛细血管网，在血管极处可见较粗的入球小动脉和出球小动脉，入球小动脉由小叶间动脉发出。

（五）致密斑（示教）

低倍镜：在肾小体血管极处找到远曲小管。

高倍镜：远曲小管近血管极一侧的管壁细胞为高柱状，细胞排列紧密，核椭圆形，染色深，位于细胞顶部，这种结构称致密斑。

小结和思考题

1. 气管壁的结构可分几层？
2. 试述肺导管部各级支气管结构变化规律。
3. 在显微镜下辨认出小支气管、细支气管、呼吸性细支气管，肺泡管、肺泡囊及肺泡。这些管道有何结构特点?

4. 肾单位的组成及各部在显微镜下的特点。

5. 肾小球旁器的组成、位置和功能。

实验九 皮肤、感觉器官、内分泌系统

【目的要求】

掌握无毛皮肤的组成及表皮和真皮各层的组织结构；掌握甲状腺滤泡及滤泡旁细胞、肾上腺皮质和髓质、脑垂体的结构；了解有毛皮肤的结构特点；了解视网膜的结构及分层、蜗管及螺旋器的组织结构。

【实验材料】

指皮切片，甲状腺切片，肾上腺切片，脑垂体切片，头皮切片，视网膜切片，内耳切片。以上均为H. E染色。

【内容和方法】

（一）指皮切片

低倍镜：区分出表皮、真皮和皮下组织。表皮分五层，基底层与真皮相连，呈凹凸不平状，由一层立方或低柱状细胞组成，染成深紫色；棘层由多层多边形细胞组成，染色较浅；颗粒层由几层梭形细胞组成，染成深紫蓝色，透明层细胞呈均质透明状，细胞界限不清，被染成红色；角质层的细胞界限不清，是已角化的死细胞，染成红色。表皮层内有时可见到汗腺导管穿过而呈圆形或不规则形断面。真皮分乳头层和网状层，乳头层向表皮底部凸出，内有毛细管和触觉小体；网状层内有汗腺的导管和分泌部以及较大的血管等，有时可见到环层小体。

皮下组织位于真皮深面，由疏松结缔构成，内有大量脂肪组织和较大的血管等。

高倍镜：其底层细胞呈立方形或低柱状，胞质内有黑色素颗粒，颗粒层细胞呈梭形，胞质内含有棕黑色透明角质颗粒。

（二）甲状腺切片

低倍镜：可见到许多大小不等圆形或卵圆形的滤泡，滤泡中央充满红色的胶状物质。滤泡之间有丰富的毛细血管和少量结缔组织。

高倍镜：滤泡上皮细胞呈立方形，核圆形位于细胞中央，胞质弱嗜碱性，染色较淡，在滤泡上皮细胞间或滤泡之间，可见到单个或成群分布的滤

泡旁细胞，该细胞呈圆形、卵圆形或多边形，胞体较大，核圆形居细胞中央，胞质染成淡红色。

（三）肾上腺切片

低倍镜：肾上腺表面包有结缔组织被膜。实质分周围的皮质和中央的髓质，皮质着色较深，由外向内分为球状带、束状带和网状带；髓质呈网状或索状，染色较浅。

球状带位于被膜下，较薄，细胞呈低柱状或多边形，排列成球团状或弓状，胞质着色较浅；束状带最厚，细胞呈柱状或多边形，细胞排列成索状，在切片上，胞质染色最浅而呈泡沫状（由于胞质内脂滴被溶解所致）；网状带与髓质相接，细胞排列成索状，染色较深。在上述三带的细胞团索间均可见到血窦。髓质细胞呈多边形，排列成索状或网状，其间有血窦。髓质中还可见到少量交感神经节细胞、中央静脉及其分支。

（四）脑垂体切片

低倍镜：区分出脑垂体的远侧部、中间部和神经部。

远侧部细胞排列成团索状，其间可见丰富毛细血管和少量结缔组织，中间部狭小，可见到一些大小不等的囊泡，腔内可有少量红色胶状物质。神经部染色较淡，内含许多无髓神经纤维。

高倍镜：可见到远侧部的三种细胞。

嗜酸粒细胞数量较多，胞体较大；呈圆形或卵圆形，胞质染成红色，细胞界限清楚，核圆形着色深。嗜碱粒细胞数量少，胞体大小不一，呈卵圆形或多角形，胞质染成紫蓝色，细胞界限不很明显，核着色较浅，嫌色细胞数量最多，胞体较小，胞质着色浅或不着色，核呈空泡状，着色浅，细胞轮廓不明显。

（五）头皮切片（示教）

低倍镜：表皮较薄，五层分界不如指皮明显。表皮陷入真皮和皮下组织形成毛囊，毛囊内层为复层上皮，外层为结缔组织。毛囊中的棕色条状结构是毛根，毛根末端膨大称毛球，毛球底部凹陷，有结缔组织突入称毛乳头。

毛根与表皮呈钝角的一侧有皮脂腺，腺上皮为多层，腺体中央部的细胞较大、胞质内充满呈空泡状的脂肪小滴，腺导管开口于毛囊上 1/3 处，在皮脂腺的深面有斜行的平滑肌束，称立毛肌，其一端连于毛囊，另一端终止于真皮乳头层。

（六）眼球壁切片（示教）

低倍镜：区分出眼球壁的三层结构—巩膜、血管膜和视网膜。

高倍镜：重点观察视网膜的结构和分层。由外向内视网膜可分为 10 层，即色素上皮细胞层、视杆层、视锥层、外界膜层、外核层、内核层、内网层、节细胞层、神经纤维层和内界膜层。

（七）内耳切片（示教）

低倍镜：蜗管横切面呈三角形，有三个壁。上壁称前庭膜，外壁为螺旋韧带，下壁为基底膜。基底膜面向蜗管一面有上皮细胞分化而成的螺旋器。此外还可见到前庭阶和鼓阶等结构。

高倍镜：重点观察螺旋器结构，螺旋器由毛细胞和支持细胞组成，毛细胞呈柱状，细胞游离面有纤毛，可分为内、外毛细胞两组。支持细胞呈柱状或立方形，可分为内、外柱细胞和内、外指细胞等；内、外柱细胞顶部紧密相接形成内隧道；内、外指细胞顶部分别嵌有内毛细胞和外毛细胞。螺旋器的上方复盖有一层粉红色的盖膜。

小结和思考题

1. 皮肤的分层及各层和形态结构特点。
2. 甲状腺的微细结构及功能如何？
3. 肾上腺皮质各层及髓质的结构特点和功能。
4. 脑垂体远侧部的结构和功能。
5. 视网膜由哪几层细胞组成？其结构和功能如何？

实验十　生 殖 系 统

【目的要求】

掌握曲细精管的支持细胞、各级生精细胞以及睾丸间质细胞的形态结构特点；掌握卵巢各级卵泡的形态结构及黄体的结构；掌握子宫内膜及肌层的组织结构特点；了解附睾的组织结构。

【实验材料】

睾丸切片，卵巢切片，子宫切片，附睾切片。以上均为 HE 染色。

【内容和方法】

（一）睾丸切片

低倍镜：可见睾丸实质内有许多大小不等的圆形或卵圆形的曲细精管的切面，在曲细精管之间有少量疏松结缔组织，称睾丸间质，选曲细精管用高倍镜观察。

高倍镜：曲细精管管壁由支持细胞和各级生精细胞构成。生精细胞位于支持细胞之间，由外向内观察可见到不同发育阶段的生精细胞。

精原细胞附于基膜上，胞体较小，呈圆形或不规则圆形，核圆形或卵圆形，着色深。

初级精母细胞位于精原细胞内侧，有 2~3 层，胞体较大，呈圆形，核大，常处于分裂状态，在切片上常见核染色质呈粗大丝团状。

次级精母细胞位于初级精母细胞内侧，胞体较小呈圆形，核圆而染色较深。在切片不易见到。

精子细胞位于近管腔中，胞体更小，呈圆形，常集合成群排列，核圆而着色深。

精子位于管腔中，常成群存在，头部染成紫蓝色，尾部染成红色细丝，因常被切断，故往往不易看清。

支持细胞位于各级精细胞之间，胞质不易着色，细胞轮廓不清，核呈卵圆形或不规则形，着色浅，核仁明显。

间质细胞位于曲细精管之间的结缔组织内，常成群存在，胞体较大，呈圆形或多边形，胞质染成红色，核大而圆，核仁明显。

（二）卵巢切片

低倍镜：卵巢表面有一层表面上皮，上皮下方为一薄层致密结缔组织组成的白膜。其实质可分为皮质和髓质，皮质位于外周，内有各级卵泡和黄体等；髓质位于中央，由结缔组织构成。

原始卵泡位于皮质最浅层，数目最多，由位于中央的初级卵母细胞和周围一层扁平的卵泡细胞构成。

初级卵泡由中央的初级卵母细胞和周围的单层立方或多层卵泡细胞构成。在切片上，可见初级卵母细胞和卵泡细胞之间有一层染成粉红色的透明带等。

次级卵泡由初级卵泡增大而成。其主要特征是：有的卵泡细胞之间出现大小不等的腔隙。有的卵泡中有一个大的卵泡腔，在卵泡一侧可见到初级卵母细胞和一些卵泡细胞形成隆起凸入卵泡腔，称卵丘；围绕卵泡腔的卵泡细胞排列成数层，称颗粒层；颗粒层外面有由结缔组织构成的卵泡膜，此膜可分内外两层。

成熟卵泡的结构与晚期次级卵泡相似，但体积较大，并突向卵巢表面，切片上较少见到。

闭锁卵泡即退化的卵泡。可在卵泡发育的各个阶段发生，原始和初级卵泡退化时，卵母细胞核固缩，细胞形态不规则，最后卵母细胞和卵泡细胞溶解消失。早期次级卵泡退化时，可见卵泡腔中有残留的透明带；后期次级卵泡退化时，卵泡内膜细胞变得肥大，排列成团索状，称间质腺。

黄体由粒黄体细胞和泡膜黄体细胞组成，粒黄体细胞较大，染色较浅；泡膜黄体细胞较小，染色较深，多位于黄体周边部。黄体周围有结缔组织包绕，黄体内可见有丰富的毛细血管。

（三）子宫切片

低倍镜：在子宫横切面上可见到不规则的子宫腔，由内向外可区分出子宫内膜、肌层和外膜三层结构。

内膜由单层柱状上皮和固有膜组成，上皮向固有膜凹陷形成许多单管状的子宫腺，切片上子宫腺被切成管状、卵圆形或圆形等断面。

肌层很厚，富有血管，大致可分为内、中、外三层，内层为纵行平滑肌，中层为环行和斜形平滑肌，外层也为纵行平滑肌，但三层间无明显界限，不易区别。

（四）附睾（示教）

低倍镜：可见附睾内有许多小管的横切面和斜切面，其中大部分管腔面整齐，为附睾管；少数管腔面不整齐，为输出小管。

输出小管的上皮为假复层柱状纤毛上皮。上皮细胞高低不一，故管腔面呈波浪状而不整齐，上皮基膜外有环行平滑肌。

附睾管也为假复层柱状纤毛上皮，但上皮细胞排列整齐，腔内有许多精子，上皮基膜外也有环行或纵行平滑肌。

小结和思考题

1. 试述曲细精管各级生精细胞和支持细胞的形态特点。
2. 卵巢内不同发育阶段的卵泡的形态结构特点。
3. 何谓黄体？其结构和功能如何？
4. 子宫壁的微细结构。

第九章　病理解剖学

实验一　组织损伤与修复

【目的要求】

1. 了解组织损伤的基本形态学变化。

2. 结合形态变化及发生部位，了解萎缩、变性、坏死各对机体产生什么影响。

【实验材料】

见表 9-1。

表 9-1　组织损伤与修复的实验材料

大体标本	组织切片
1. 萎缩：脑积水　心肌萎缩	1. 肝脂肪变性
肾盂积水	2. 肉芽组织
2. 变性：脂肪肝	3. 肾浊肿
3. 坏死：脾梗死（凝固性坏死）	
肾结核（干酪样坏死）	
脑软化（液化性坏死）	
脾陈旧性梗死（瘢痕）	

【内容和方法】

（一）大体标本

1. 萎缩

于脑积水标本上，可见脑室腔变大，脑实质因受压迫发生萎缩而变薄。

于肾盂积水标本上，可见肾盂扩大，肾实质因受压迫发生萎缩而变得很薄。

结合标本分析产生脑积水与肾盂积水的原因。

2. 脂肪肝

正常肝脏色暗红，各边缘均锐利，切面上显轻微的分叶状纹理。此肝标本则完全不同，肝表面膨胀而光滑，边缘变钝，切面和表面均呈奶黄色，切面看不出纹理，几乎和表面差不多。所有这些改变均是由于肝细胞浆内充满脂肪滴所造成的。

3. 凝固性坏死

脾梗死：脾切面可见有一灰白色坏死区，坏死部变实、无光泽、干燥、较硬，此为凝固性坏死之特点。

肾结核：肾结核病灶的坏死亦属一种凝固性坏死，其色灰黄，质松软或松脆，有些象干酪或豆渣样，故称干酪样坏死。

4. 液化性坏死

脑软化：脑实质因缺血而坏死、液化，致脑实质中缺损一大块，此即脑软化的表现。

5. 脾梗死瘢痕

于脾之表面可见一凹陷部，此为脾发生梗死后，坏死组织逐渐被纤维取代而形成瘢痕，因瘢痕收缩，故局部形成凹陷。

（二）切片标本

1. 肝脂肪变性

镜下肝脏的正常结构已经面目全非，只是看到中央静脉周围有少量残留的肝细胞索，小叶边缘部分的肝细胞胞浆内充满圆形空泡，核被挤到一边。（这些空泡即为脂肪滴在制片过程中被二甲苯等脂肪溶剂所溶解而形成的）。并非所有的肝脂肪变性都这样严重，有些病例只在肝细胞胞浆中见有少量细小的空泡。

2. 肉芽组织

镜下可见肉芽组织为大量成纤维细胞与新生的毛细血管所组成。切片表面复盖一层伊红染色、无结构的条、块状物质，此为纤维素性渗出物，其中杂有中性粒细胞和破碎的细胞核，在这层渗出物下面为丰富的新生毛细血管，毛细血管内皮细胞肿胀，少数血管还呈实心细条。在肉芽组织表面，这些新生的毛细血管和伤口表面垂直，有的在近表面处互相连接呈穹窿状（即肉眼所见的小颗粒）。在血管之间是新生的成纤维细胞和纤维细胞，并见多量中性粒细胞、淋巴细胞、单核细胞、浆细胞浸润。有些切片中，在肉芽组织下面可见到少量成熟致密的结缔组织。

3. 肾浊肿

肾近曲小管上皮细胞肿胀，境界不清，胞浆内有嗜伊红染色的微细颗粒，细胞核无明显改变。

（三）幻灯片

小结和思考题

1. 绘图及描述肝脂肪变性的镜下病变或肉芽组织的镜下病变。

2. 有哪些变性在细胞的胞浆内出现空泡或类似变化，在形态学上有何差异？如何确定其性质？

3. 坏死细胞的镜下特征如何？

实验二 局部血液循环障碍

【目的要求】

1. 掌握肺和肝慢性淤血的形态（大体和显微镜）变化。
2. 掌握贫血性梗死和出血性梗死的肉眼形态变化。
3. 观察血栓的形态特点，并理解血栓形成的过程。
4. 观察脑出血的肉眼变化。

【实验材料】

见表 9-2。

表 9-2 局部血液循环障碍的实验材料

大体标本	组织切片
1. 慢性肝淤血（槟榔肝）	1. 慢性肝淤血
2. 脑出血	2. 慢性肺淤血
3. 脾贫血性梗死	
4. 肠出血性梗死	
5. 血栓	

【内容和方法】

（一）大体标本

1. 肝淤血（槟榔肝）

肝切面上可见许多暗红色（经福尔马林固定呈棕黑色）条纹和黄褐色条

纹互相交错存在新鲜标本上，这种红、黄相间的斑纹很像中药槟榔片的纹理，故称“槟榔肝”。呈暗红色的区域为肝小叶中央静脉及肝窦内的淤血，小叶与小叶之间互相沟通融合所致，黄褐色区域为脂肪变性的肝细胞。以上变化使肝脏体积增大，边缘变钝，重量增加。

2. 脑出血

标本为大脑冠状切面，在右半球整个内囊区域紧靠脑干处，有一个不整形的黑色凝血块，凝血块边缘和四周脑组织界限分明。

3. 脾贫血性梗死

标本为脾脏的一部分，脾切面上靠近包膜下，可见许多大小不一，形态不整齐的灰白色坏死区域，有的坏死区大致呈锥形，其尖端向脾门，底部向包膜，此即贫血性梗死灶。这是由于动脉由脾门进入，并向表面作树枝状分布所致。梗死灶周围，可见有一深色的带，此即反应性的出血带，有时出血带可不明显。

4. 肠出血性梗死

标本为小肠的一部分，呈棕黑色，干燥，完全失去正常色泽，肠壁变厚，肠壁切面可见全层均为棕黑色，肠腔内充满棕黑色凝血块，粘膜已不明显。此即出血性梗死所致，说明这段肠组织及粘膜的所有组织间隙和空间都充满了血液，大部分组织已发生坏死。

5. 血栓

此为一段扩张的血管。管壁稍厚，管腔很大，腔内见有一球形的固体—血栓。其表面附有纤维蛋白。

（二）切片标本

1. 肝淤血

用低倍镜找到红细胞堆积的部位及其周围的肝细胞索，再找汇管区（汇管区有小叶间动脉、静脉、胆管及疏松结缔组织），分析它们之间的关系，就可以看到红细胞堆积的部位（即淤血处）恰好属肝小叶中央静脉及其附近的肝窦。由于淤血显著，小叶与小叶之间的淤血区互相沟通，以致显出将小叶边缘及汇管区包围在中央的样子。

低倍镜下还可以看到淤血处肝细胞索变窄，边缘不齐等萎缩现象，淤血越显著，此种变化越明显，以致肝细胞索时断时续，甚至消失。高倍镜下中央静脉扩大，周围的血窦也扩张，其中充满了红细胞。在肝细胞中看到许多空泡，是肝细胞脂肪性变。

2. 慢性肺淤血

标本取自肺。先用低倍镜分清支气管，肺泡壁和肺泡腔。再观察肺内静脉和肺泡壁内毛细血管。见肺泡壁增厚，其中毛细血管明显扩张，充满了红细胞。肺脏间质小血管亦扩张充血，并有轻度纤维组织增生及炭末细胞的沉积。部分肺泡中有少量红细胞及大量胞浆中充满含铁血黄素（呈棕黄色颗粒）的吞噬细胞。此种细胞常出现于心力衰竭引起的慢性肺淤血之病人，故又称“心衰细胞”。

（三）幻灯片：

小结和思考题

1. 绘图及描述：慢性肝淤血及慢性肺淤血的镜下病变。
2. 慢性肝淤血与肺淤血各有何后果？

实验三　电 教 录 像

【目的要求】

1. 通过观看《尸体解剖》录像，了解尸体剖检的意义，尸检的一般程序。

2. 通过观看《血栓形成》录像，了解血栓形成的主要因素，掌握血栓形成的过程及其形态特点。

【实验内容】

1. 尸体解剖
2. 血栓形成

小结和思考题

1. 血栓形成的原因与条件有哪些？
2. 股静脉血栓形成时，会有哪些后果？

实验四　炎　　症

【目的要求】

1. 通过标本的观察，掌握炎症的三种基本病理变化。
2. 观察标本，弄清楚渗出性炎症的分类、形态改变及特点。
3. 掌握各种炎细胞的形态特征。

【实验材料】

见表 9-3

表 9-3　炎症的实验材料

大体标本	组织切片
1. 变质性炎：阿米巴性肝脓肿	1. 急性蜂窝织炎性阑尾炎
2. 渗出性炎：绒毛心	2. 肉芽组织（观察浆细胞）
急性蜂窝织炎性阑尾炎	3. 脓肿
化脓性脑膜炎	
多发性肺脓肿	
3. 慢性增生性炎：	
慢性胆囊炎	
肠结核	

【内容和方法】

（一）大体标本

1. 变质性炎症

阿米巴性肝脓肿，肝脏有一巨大“脓肿”形成，此为溶组织阿米巴破坏溶解肝组织所造成的，坏死组织流出后留下一个巨大囊腔，囊腔壁上附有残存的絮状坏死物。

2. 渗出性炎症

（1）绒毛心（纤维素性心包炎）　心包腔内渗出的纤维素由于受心搏的牵扯而呈绒毛状，故称“绒毛心”。

（2）急性蜂窝织炎性阑尾炎　正常成人阑尾的直径约在 0.5～1cm，表面光滑，切面腔小，壁较厚。急性蜂窝织炎性阑尾炎时，阑尾明显肿大变粗，表面完全失去光泽，充血混浊，有一层脓性渗出物附着。切面见阑尾壁变薄，管腔扩大，内容为脓液（因制作标本时脓液已流出故成为空腔）。

（3）化脓性脑膜炎　标本可见脑膜血管明显充血，软脑膜高度混浊，此为蛛网膜下腔内大量黄白色之脓性渗出物所致。

（4）多发性肺脓肿　在肺表面散布着绿豆至黄豆大的局限性化脓性病灶，其中有些已发白成脓，这是全身脓毒血症在肺部的形态学表现。

3. 慢性增生性炎症

（1）慢性胆囊炎　正常胆囊呈梨形，在成人长约 7～8cm，最宽处不超过 3cm，壁薄透明，胆汁的颜色可以透过囊壁显示出来，粘膜面整齐，规则的细格纹状突起。慢性胆囊炎时形态不整齐，壁显著增厚，呈灰白色，坚实，粘膜纹理不规则。这种形态改变主要是慢性炎症过程中，管壁纤维组织显著增生所造成的。

（2）肠结核　也就是慢性增生性炎症，主要观察几点病变：

①肠壁因大量结缔组织增生而致肠壁增厚，同时因结缔组织瘢痕性收缩而致管腔狭窄。

②有些地方肠粘膜有坏死和溃疡形成。

③肠粘膜上皮及上皮下组织（包括腺体间质）增生，可形成息肉状突起。

（二）切片标本

1. 急性蜂窝织性阑尾炎

镜下见阑尾粘膜表面有部分上皮脱落，阑尾腔中堆积有大量大单核细胞及红细胞。在阑尾各层均有炎性充血、水肿、纤维素性渗出和大量中性粒细胞浸润。尤以浆膜充血、水肿特别明显，表面有大量纤维素性渗出物附着。在纵行肌中可以明显看到平滑肌细胞的空泡变性，在环形肌中可以看到肌纤维肿胀，境界不清，特别是在炎细胞堆积处，看上去肌纤维消失。在粘膜及粘膜下层见淋巴滤泡境界不清，有大量淋巴细胞和大单核细胞的浸润。综合以上所见归纳为：

（1）渗出性改变　表现为充血、水肿、纤维素性渗出，中性粒细胞浸润及粘膜开始化脓都非常明显。

（2）变质性改变　表现为部分粘膜崩解，平滑肌细胞的空泡变性以及肌纤维的肿胀和肌纤维的局限性脱失。

（3）增生性改变　不明显，表现为淋巴滤泡增生，大单核细胞浸润。

2. 观察浆细胞

镜下结构为一肉芽组织，其中有大量浆细胞浸润。形态十分典型—胞体为椭圆形，核圆偏位，核染色质呈车轮状，核周有新月形空隙（核周晕），胞浆嗜碱。

3. 脓肿

脓肿壁由炎性肉芽组织构成，其中可见小血管扩张充血及纤维组织增生。中央部分为脓肿腔，其中脓液已消失。脓肿腔内有少量脓细胞及吞噬细胞，胞浆呈泡沫状。

（三）幻灯片

小结和思考题

1. 描绘各种炎细胞的形态。

2. 蜂窝织炎与脓肿有何主要区别？

实验五　肿　　瘤

【目的要求】

1. 认识肿瘤的外形，初步掌握良性肿瘤与恶性肿瘤的区别，为今后在临床实践中诊断肿瘤打下理论基础。

2. 掌握肿瘤的命名原则和几种常见肿瘤的形态特性。

【实验材料】

见表 9-4。

表 9-4　肿瘤的实验材料

大体标本	组织切片
1. 良性肿瘤	1. 纤维肉瘤
子宫平滑肌瘤	2. 淋巴结转移性鳞癌
脂肪瘤	
卵巢粘液性囊腺瘤	
甲状腺腺瘤	
纤维瘤	
2. 恶性肿瘤	
乳腺癌	
鳞状上皮癌	
肠癌	
骨肉瘤	
3. 各系统常见肿瘤	
肺癌	
肝癌	
胃癌	
食管癌	
4. 其他　葡萄胎	

【内容和方法】

（一）大体标本

1. 良性肿瘤

有完整的纤维组织包膜，呈膨胀性生长，不向周围浸润，与正常细胞有明显的分界。肿瘤一般不发生坏死、溃疡等继发性变化。

（1）子宫平滑肌瘤　标本为切除的子宫。子宫肌内见肿瘤呈圆形球，质地坚硬（有的标本可见多个肿瘤），与周围组织分界清楚，切面见肌纤维呈“旋涡状”或“编织状”排列。肿瘤附近正常肌肉受压而排列紧密。

（2）脂肪瘤　切面黄色与脂肪组织相似，其中可见散在的灰白色纤维组织。摸之质软，重量减轻而浮于水面。

（3）卵巢粘液性囊腺瘤　肿瘤呈多房性囊状，表面有纤维组织包膜，切面见大小不等的囊腔，囊壁光滑，有的空腔内可见尚未完全脱落的粘液样物质。

（4）甲状腺瘤　标本为切除的甲状腺瘤，其外有完整的包膜，与周围正常组织分界明显。切面可见肿瘤呈圆球形，周围有薄层纤维组织包膜。有的呈囊性变。

（5）纤维瘤　肿瘤来自于卵巢。肿瘤呈膨胀性生长，边界清楚，质地坚硬，切面致密，由纵横交错之纤维束所组成。

2. 恶性肿瘤

一般无完整的包膜，呈浸润性生长，侵入周围组织，故与周围组织无明显的分界。肿瘤常发生出血、坏死、溃疡等继发性变化。恶性肿瘤还有转移至其他脏器的特征。

（1）乳腺癌　标本为外科切除的乳腺组织。表面见乳头内陷，皮肤似桔皮。切面见脂肪组织中有灰白色组织即癌组织，癌组织无包膜，与周围无明显差异，底部边缘可见细条索状的癌组织向正常组织伸展。这种生长方式叫浸润性生长。

（2）鳞状上皮癌　标本为手术切除之右耳廓，见外上方有一向表面突出的约枣大的肿物，肿瘤表面粗糙不平，有破溃及污灰色坏死物。切面呈灰白色，基底较宽，向深部呈浸润性生长，此即耳廓之鳞状上皮癌。

（3）肠癌　标本为切除之大肠。粘膜面见一巨大肿物，突入肠腔，肿物表面粗糙，并有坏死，癌肿向肠壁呈浸润性生长，已突破浆膜面。

（4）骨肉瘤　肿瘤发生于长骨的一端。骨的结构被破坏，骨髓被肿瘤组织充满，骨皮质被破坏，肿瘤已侵入骨旁软组织中，并见肿瘤组织有明显的出血坏死。

3. 各系统常见肿瘤

（1）肺癌　根据肺癌的形态及发生部位，可分为三型：

肺门型：起源于肺门附近较大的支气管，常围绕着支气管生长，可侵及肺门淋巴结，在肺门部形成一巨大肿块。

周围型：起源于小支气管粘膜上皮，在肺的外围部分形成一个或多个结节。

弥漫型：起源于肺泡上皮，癌组织沿肺泡生长，很快累及整个肺叶，实变呈灰白色，与大叶性肺炎灰色肝变期相似。

后二型少见。

（2）肝癌 肝脏明显肿大，癌组织局限于肝脏一个叶（见于右叶），也可散在或弥漫分布。肉眼所见可分以下三型：

结节型：最常见，在肝内形成多数大小不等的结节，分界明显，癌灶呈灰白色或黄褐色。

巨块型：较少见，癌肿在肝内形成巨大肿块，多位于右叶，在巨大肿块周围常有若干小的卫星小结节。

弥漫型 最少见，不形成明显的癌结节，而广泛地浸润于肝组织中。

（3）胃癌 最常见的是溃疡性胃癌，溃疡直径多在3cm以上，边缘隆起，底面粗糙不平，溃疡周围胃壁增厚，粘膜皱壁消失。

（4）食管癌 肿瘤呈乳头状向食管腔内突起，部分食管粘膜破坏，糜烂或浅表溃疡，由于管壁癌组织浸润增生及癌组织呈乳头状生长向管腔突起，可使食管狭窄。

（5）葡萄胎 为大堆圆形透明的水泡状和葡萄状结构，直径1cm左右，壁薄，肿大的绒毛以蒂相连成串，呈簇状，形如葡萄，故称葡萄胎。

（二）切片标本

1. 纤维肉瘤

镜下见瘤细胞由基本上呈梭形的纤维细胞构成，并见呈束状交错排列。但瘤细胞的大小、形态、排列、染色差异很大，有许多畸形怪状的核，可见瘤巨细胞。核分裂明显，瘤组织中毛细血管丰富，且壁薄易破裂出血。

2. 淋巴结转移性鳞癌

镜下尚存少量淋巴细胞，大部分是呈片状、团块状的鳞状细胞构成的癌组织。细胞大小、形态、排列都很不规则，核分裂相明显。癌细胞团块周围有少量纤维组织围绕（此为癌的一个显著特征）。癌组织中有坏死及炎性细胞浸润，癌组织和淋巴组织间无包膜相隔。

小结和思考题

1. 绘图及描述：恶性肿瘤细胞的异型性。
2. 绘图及描述：纤维肉瘤的镜下病变。
3. 癌与肉瘤有何区别？
4. 恶性肿瘤的扩散途径有哪些？

实验六　心血管系统疾病

【目的要求】

通过观察风湿性心内膜炎、风湿性心外膜炎、动脉粥样硬化及高血压病的心脏等大体形态及镜下改变，进一步加深对课堂讲述的基本病理变化的理解。掌握高血压病及动脉粥样硬化主要脏器的大体病变特点。

【实验材料】

见表9-5。

9-5　心血管系统疾病的实验材料

大体标本	组织切片
1. 风湿性心内膜炎	1. 风湿性心肌炎
2. 风湿性心外膜炎（绒毛心）	2. 主动脉粥样硬化
3. 动脉粥样硬化	
主动脉粥样硬化	
冠状动脉粥样硬化	
脑动脉粥样硬化	
4. 高血压病的心脏	

【内容和方法】

（一）心脏标本观察方法

1. 大体标本

（1）心脏的大小　正常心脏的大小如本人手拳。①萎缩的心脏：小于本人手拳，心冠状动脉弯曲，心尖较尖锐，心外形较细长；②肥大的心脏，大于本人手拳，全心增大呈球形，左心室特别增大呈靴状，心壁增厚，重量增加（正常成人左心室厚平均为0.9cm，右心室厚约0.25cm，成年男性心重约310g，女性心重约250g）。

（2）心外膜及冠状动脉　心外膜是否光滑？有无出血点？渗出物附着？与心包有无粘连？什么性质的粘连？心包腔扩大否？冠状动脉口有无狭窄？内膜是否光滑？有无增厚及斑块？管腔有无血栓？

（3）心肌　有无色泽变化？有无坏死区和瘢痕，其范围和形态如何？

（4）心腔及心内膜　根据心腔形态，乳头肌及肉柱的情况来分析各心腔有无扩张？心内膜是否光滑，有无出血？观察各瓣膜口有无异常，有无赘生物、穿孔或缺损？有无增厚粘连，缩短等，观察腱索是否变粗缩短。

2. 组织切片

（1）心外膜　①表面有无炎性渗出物附着？什么性质的渗出物（浆液性，纤维素性，脓性）？②心外膜下有无炎症？什么性质的炎症？③冠状动脉内膜下有无脂质沉积、纤维组织增生、钙化、出血等。

（2）心肌层　①心肌细胞的大小，横纹是否清楚，心肌细胞核是否有改变，核周有无色素？②心肌间质有无充血、水肿、炎细胞浸润？脓肿或肉芽肿形成？结缔组织是否增生？

（3）心内膜　①心内膜有无增厚及赘生物？其组成如何？②结缔组织是否增生？

（二）大体标本

1. 风湿性心内膜炎

病变主要累及心瓣膜，以二尖瓣最常见。二尖瓣弥漫性增厚，粗糙，在瓣膜闭锁缘上可见灰白色排列成行的赘生物（直径1～2mm）。

2. 绒毛心

常是风湿性全心炎的一部分，表现为心包内纤维素性渗出物受心脏搏动的牵拉呈绒毛状。

3. 动脉粥样硬化

主动脉粥样病变主要分布在降主动脉，尤其是腹主动脉，特别是在主动脉的分支出口处更明显。动脉内膜上见散在分布的灰黄或灰白色斑块，有的互相融合，部分形成溃疡。脑动脉粥样硬化以脑基底动脉、大脑中动脉受累较显著，动脉病变处呈灰黄色斑块，管壁显著增厚，管腔狭小。

4. 高血压病之心脏

由于血压持续升高，左心室负担长期加重，左心室壁明显增厚，乳头肌与肉柱变粗而圆，但心腔并不扩张，称向心性肥大。

（三）组织切片

1. 风湿性心肌炎

在心肌间质小动脉附近可见圆形或类圆形阿少夫小体（低倍镜），转高倍镜观察，小体中央为伊红深染的纤维素样坏死，周围有体积较大、大小不一的圆形或梭形风湿细胞，胞浆丰富，弱嗜碱性，核大，一个或多个，呈空泡状，核仁清楚。此外，有少数淋巴细胞和单核细胞。晚期风湿细胞逐渐变成梭形并转化为纤维细胞，细胞间出现胶原纤维，最后形成瘢痕。

2. 主动脉粥样硬化

内膜高度纤维性增厚，内膜和中膜之间有大片淡红色无结构之物质，为粥样坏死物，其中有很多梭形、针形或圆形空白区，此乃胆固醇结晶（在制片过程中，胆固醇被脂溶剂所溶解）。病灶周围可见泡沫细胞。

（四）幻灯片

小结和思考题

1. 画一个风湿小结及其邻近的部分心肌，并描述。
2. 绘图及描述：动脉粥样硬化的镜下病变。
3. 主动脉粥样硬化好发于什么部位？为什么？

实验七　呼吸系统疾病

【目的要求】

1. 了解大叶性肺炎，小叶性肺炎及肺气肿的大体表现，鉴别大、小叶性肺炎的病变有何不同。

2. 根据大叶性肺炎的大体及镜下所见，推论病人临床上可能出现哪些症状和体征。

3. 了解原发性肺结核与继发性肺结核有何区别。

【实验材料】

见表9-6。

表9-6　呼吸系统疾病的实验材料

大体标本	组织切片
1. 大叶性肺炎	1. 大叶性肺炎（红色肝变期）
2. 小叶性肺炎	2. 大叶性肺炎（灰色肝变期）
3. 肺气肿	3. 小叶性肺炎
4. 肺结核原发综合征	4. 急性粟粒性肺结核
5. 肺门淋巴结核	5. 肺气肿
6. 急性粟粒性肺结核	
7. 慢性纤维空洞性肺结核	
8. 肾结核	
9. 结核球	

【内容和方法】

（一）肺脏标本的观察要点

1. 大体标本

（1）注意标本取材于右肺还是左肺？外形大小，有无气肿或萎缩？

（2）肺表面胸膜是否光滑？有无肥厚、粘连或渗出物等。

（3）肺标本一般显示肺的切面，注意支气管分布，结构及管内有无内容物。一般支气管由肺门到肺边缘由粗逐渐变细，到肺膜时则肉眼不能见。

（4）注意肺门淋巴结的大小、结构及色泽。

（5）肺的主要结构为肺泡，正常成人肺泡肉眼上约为针尖到针头大，整个肺呈海绵状。注意肺泡大小，肺泡是否空虚，肺有无实变。

（6）肺内如有灶性病变，要注意病变大小、形状、分布、结构、色泽以及与支气管的关系等，要特别注意病变区域内肺结构有无破坏。

2. 组织切片

先用低倍镜观察肺胸膜表面有无渗出物，肺的一般结构，支气管及血管的状态，病变的大致结构与分布，以及与支气管的关系。在低倍镜观察的基础上，选择一个或几个病灶用高倍镜作为重点观察，主要观察病变的组成。肺泡壁有无充血、水肿、炎细胞、纤维组织增生？肺泡腔有无内容物（如水肿液、炎细胞、红细胞、心衰细胞等）？肺组织内有无肉芽肿？肺内支气管粘膜与支气管壁有何变化？肺内大血管有无病变。

（二）大体标本

1. 大叶性肺炎

病变肺叶增大，变实，硬度很像肝脏，呈暗红色或灰白色。切面干燥呈粗糙颗粒状。胸膜面有纤维素性渗出物。

2. 小叶性肺炎

肺切面可见多数散在的、大小不一、形状不规则的暗红、灰黄或灰白的病灶，质实，有的为数个小病灶互相融合成大的病灶，又称融合性小叶性肺炎。大部分病灶中可见一发炎小支气管，管腔中有粘液脓性分泌物，又称支气管肺炎。

3. 肺气肿

肺体积显著增大，边缘钝、柔软、缺乏弹性，指压后留有压痕，肺表面时有可见肋压痕，由于肺组织相对缺血而呈灰白色。切面有许多大小不等的薄壁囊腔。此为扩大之气泡，状如海绵或蜂窝。

4. 肺结核原发综合征

在左肺上叶下部靠近肺膜有一蚕豆大的、灰黄或灰白色的干酪样坏死灶，此为原发病灶。肺门淋巴结明显肿大，呈干酪样坏死。肺的原发病灶、结核性淋巴管炎和肺门淋巴结核三者合称原发综合征。

5. 肺门淋巴结核

在肺门部有一个蚕豆大至乒乓球大的淋巴结，切面灰黄色，淋巴结正常结构破坏，呈干酪样坏死。

6. 急性粟粒性肺结核

在肺表面及切面可见大小一致、分布均匀的灰白色或灰黄色粟粒大的小结节。

7. 慢性纤维空洞肺结核

在肺上叶有一个大的厚壁空洞，腔内有残存的干酪样坏死，在肺的其他部位有散在的小空洞及沿支气管散布的腺泡状干酪样病灶。胸膜增厚粘连。

8. 肾结核

在肾实质内，皮质和髓质交界处或锥体乳头部形成结核病灶，发生干酪样坏死，脱落排出可形成空洞，如破坏严重者，肾组织仅剩一空壳。

9. 结核球

是一个有纤维包裹、境界分明的球形干酪样坏死灶，直径超过 2cm 以上，多为一个，位于肺上叶。

（三）组织切片

1. 大叶性肺炎（灰色肝变期）

切片中所有肺泡内充满红染之纤维素和中性粒细胞，部分纤维素通过肺泡孔与邻近肺泡相连。肺泡壁变薄，毛细血管腔关闭（由于肺泡中渗出物压迫肺泡壁毛细血管所致），充血不明显。

2. 大叶性肺炎（红色肝变期）

肺泡壁毛细血管扩张充血，肺泡腔内充满渗出物，其内含有大量红细胞，亦含有红染的浆液及吞噬细胞。此外，还可见少量纤维素性渗出物。

3. 小叶性肺炎

片中大部分肺组织中可见散在的、大小不等的炎症病灶，病灶中心为一细支气管，支气管粘膜上皮部分脱落，管腔内充满炎性渗出物（坏死破碎细胞、中性粒细胞、浆液或纤维素性渗出物）。支气管周围的肺泡充满炎性渗出物。主要为中性多核粒细胞、浆液或少数脱落的肺泡上皮细胞。病灶之间为正常之肺泡或呈代偿性肺气肿之改变。

4. 急性粟粒性肺结核

用低倍镜可见肺组织内散布着许多大小形态基本一致的结核结节。高倍镜见干酪样坏死物，周围有上皮样细胞和朗格汉斯（郎罕）巨细胞（上皮样细胞胞浆色淡，界限不清，核呈空泡状；朗格汉斯（郎罕）巨细胞为多核，细胞核排列在细胞的周边，呈马蹄形或环形，细胞体积大，胞浆丰富），并见淋巴细胞和少量纤维组织。各结节之间肺组织基本正常。

5. 肺气肿

镜下见肺泡膨胀，间隔变窄，断裂，肺泡间孔扩大，肺泡互相融合成较大的囊腔。肺泡壁毛细血管受压，数目减少。

（四）幻灯片

小结和思考题

1. 绘图及描述：大叶性肺炎的镜下病变。
2. 大叶性肺炎时中性粒细胞渗出很多，为何一般不引起化脓？

实验八　消化系统疾病

【目的要求】

1. 了解慢性胃溃疡病的大体镜下形态特点，它与溃疡型胃癌有何不同？
2. 根据肝硬化的病理变化加深对临床表现及后果的理解。
3. 掌握门脉性肝硬化镜下形态特征。

【实验材料】

见表 9–7。

表 9–7　消化系统疾病的实验材料

大 体 标 本	组 织 切 片
1. 慢性胃溃疡	1. 慢性胃溃疡
2. 肝硬化：门脉性	2. 肝硬化
坏死后性	
3. 亚急性重型肝炎	

【内容和方法】

（一）肝脏标本观察方法

1. 大体标本

观察肝脏的大小、重量和硬度。注意包膜的紧张度，表面是否光滑，有无结节或颗粒，色泽。切面色泽，小叶结构是否清楚，门管区纤维组织是否增生，有无肿块、脓肿、结节及其大小等，胆管及血管有无扩张、结石或血栓？

2. 组织切片

肝小叶结构是否正常，有无结节状增生、假小叶形成？肝细胞有无变性、坏死？肝窦有无变窄或增宽（淤血？水肿？炎细胞浸润？）？Kupffer 细胞是否增生？门管区有无炎细胞浸润，有无肿瘤组织、脓肿、肉芽肿或虫卵沉积。

（二）大体标本

1. 慢性溃疡病

胃溃疡通常位于胃小弯近幽门部，溃疡一般只有一个，圆形或椭圆形，直径 1~2cm 左右，深浅不一，边缘较整齐，底平坦而干净，较硬，周围的粘膜皱襞变粗呈放射性排列。溃疡切面常呈倾斜的三角形，幽门端的边缘倾斜呈阶梯状，而贲门端的壁则较垂直甚至作潜掘状。

2. 肝硬化

门脉性肝硬化时，肝体积缩小，质硬，重量轻，表面及切面呈颗粒状结节，大小较一致，遍布于全肝，结节之间的灰白色纤维间隔比较狭窄。坏死后肝硬化缩小变形，表面及切面可见粗大结节，结节大小相差十分悬殊，结节间纤维间隔较宽。

3. 亚急性重型肝炎

肝体积缩小，包膜皱缩不平，有细小的结节状隆起，切面见岛屿状，灰黄、黄绿或深绿色结节及松脆的灰黄色坏死灶。结节周围纤维组织增生，呈灰白色条索状。

（三）组织切片

1. 慢性胃溃疡

溃疡壁由内向外分为 4 层：①渗出层—即溃疡壁表层，复盖一层混有白细胞、纤维素的渗出物；②坏死层—坏死的肉芽组织，染成深伊红色，无结构；③肉芽组织层—为新生的肉芽组织，有纤维母细胞，小血管和浸润的炎细胞；④瘢痕组织层—由致密的结缔组织构成，其中可见厚壁小动脉。

2. 肝硬化

肝小叶正常结构消失，由大小不等的肝细胞团代替，周围由致密的结缔组织围绕，形如小岛，又称假小叶，其中可无中央静脉，或中央静脉偏位，有的则含二或三个中央静脉。纤维组织内有以淋巴细胞为主的炎细胞浸润，并可见许多小胆管样结构（电镜证明是新生肝细胞构成的）。

（四）幻灯片

小结和思考题

1. 绘图及描述：胃溃疡镜下变化。
2. 绘图及描述：门脉性肝硬化或坏死性肝硬化的镜下变化。
3. 根据组织的再生能力及创伤愈合规律分析胃溃疡的愈合过程。
4. 胃、十二指肠溃疡的主要并发症有哪些？
5. 门脉高压症产生的机制？它有哪些临床表现？

实验九　泌尿系统疾病

【目的要求】

1. 掌握急性与慢性肾小球肾炎的病理形态特点，并根据急性肾小球肾炎的病理改变推论临床上可能有哪些主要表现？其发生机制如何？

2. 掌握肾癌的大体病理变化。

【实验材料】

见表9-8。

表9-8　泌尿系统疾病的实验材料

大体标本	组织切片
1. 急性肾小球肾炎（大红肾）	1. 急性弥漫性增生性肾小球肾炎
2. 慢性肾小球肾炎	2. 慢性硬化性肾小球肾炎
3. 肾癌	

【内容和方法】

（一）肾脏标本的观察方法

1. 大体标本

观察肾脏的大小，肾包膜是否易于剥离，注意肾表面色泽，是否光滑，有无撕裂、瘢痕或颗粒。切面皮质有无增厚或变薄（正常约0.6cm）。皮质及肾柱是否隆起。皮髓质分界及结构纹理是否清楚。肾盂粘膜表面是否光滑，有无病变。肾盂是否扩张，其内有无渗出物或结石。

2. 组织切片

肾小球是否增大、缩小或纤维化，球内毛细血管扩张充血或贫血，其细胞是否增生，囊腔内有无渗出物。肾小管有无变性、坏死，或萎缩、变小，管腔内有无管型，何种性质。肾间质是否有纤维增生，炎细胞浸润及脓肿、肉芽肿形成。肾内小动脉有无透明变性。肾内有无肿瘤组织，肾盂粘膜有无变化。

（二）大体标本

1. 急性肾小球肾炎

肾脏体积明显增大，包膜紧张，但易剥离，表面光滑呈浅红色称“大红肾”。有的表面可见小出血点，又称“蚤咬肾”。切面皮质增厚，混浊略隆起。

2. 慢性肾小球肾炎

肾脏体积显著缩小，重量减轻，色苍白，质地硬。肾表面呈细颗粒状。肾包膜与实质粘连，难于剥离，肾切面可见皮质明显变薄，纹理不清。

3. 肾癌

肾脏一端可见一肿瘤，肿瘤组织粗糙，浸润性生长，周围肾组织大部分被肿瘤破坏，或严重压迫，结构不清。

4. 肾盂癌伴结石：肾脏切面见多数溃疡、坏死灶，粗糙不平，色暗或灰白。肾脏实质亦被破坏，并见一个呈鹿角状的结石。

（三）组织切片

1. 急性弥漫性增生性肾小球肾炎

病变肾小球体积增大，细胞数目增多，球丛血管内皮细胞和间质细胞增生，肿胀，并有中性粒细胞和少数红细胞，纤维素渗出。渗出物出现在毛细血管间隙及球囊腔内，肾小球囊腔变窄。肾小管上皮细胞呈浊肿或轻度脂肪变性，肾小管内可见透明管型或细胞管型，间质轻度充血，水肿及少量炎细胞浸润。

2. 慢性硬化性肾小球肾炎

大部分肾小球体积缩小（纤维化），玻璃样变，相应肾小管萎缩、消失，少数肾小球呈代偿性肥大，相应肾小管代偿性扩张，管腔内常见蛋白性管型。间质纤维组织增生，有淋巴细胞浸润。

（四）幻灯片

小结和思考题

1. 绘图及描述：急性肾小球肾炎的镜下病变。
2. 慢性肾小球肾炎的临床症状有哪些可从组织学变化中得到解释？

实验十　传染病

【目的要求】

1. 肉眼鉴别结核，伤寒、阿米巴痢疾三者在肠壁上形成的溃疡有何不同。

2. 掌握化脓性脑膜炎（流脑）的大体及镜下形态特点。

【实验材料】

见表 9-9。

表 9-9　实验十的实验材料

大体标本	组织切片
1. 肠结核	1. 化脓性脑膜炎
2. 肠伤寒：	2. 阿米巴痢疾（肠）
髓样肿胀期	3. 阿米巴痢疾（肝）
溃疡期	
3. 阿米巴痢疾（肠）	
4. 急性细菌性痢疾（肠）	
5. 化脓性脑膜炎	
6. 梅毒性主动脉炎	

【内容和方法】

（一）大体标本

1. 肠结核

病变多在回盲部，肠壁上常形成环状溃疡，溃疡的长径与肠的纵轴垂直，溃疡边缘参差不齐，底部为结核性肉芽组织。肠浆膜面有灰白色小结核结节形成。

2. 肠伤寒

此为一段回肠，一个标本为髓样肿胀期，集合淋巴结明显增生肿胀，凸出于粘膜表面，呈灰红色，质软，长圆形，脑回状外观。另一标本为溃疡期，溃疡的长径与肠纵轴相平行，溃疡边缘稍隆起，底部有残留的坏死组织碎块。

3. 阿米巴痢疾（肠）

在结肠壁上形成圆形隆起淡黄色小点，其中有针眼大小的溃疡，少数病灶之间尚能见到接近正常的肠粘膜；切面溃疡呈典型口小底大的锥形烧瓶状，并可互相在粘膜下沟通呈隧道状。

4. 急性细菌性痢疾（肠）

结肠粘膜皱襞破坏，表面覆盖着污灰色或灰黄色粗糙的糠皮样假膜，部分假膜脱落形成多数不规则的“地图状”溃疡，溃疡之间粘膜炎症反应明显。

5. 化脓性脑膜炎

软脑膜显著充血，蛛网膜下腔大量渗出物积聚，使脑回及脑沟被掩盖而看不清楚，尤其脑沟血管周围，脑底渗出物积聚更多。整个大脑表面都覆盖着一层灰白色膜状物。

6. 梅毒性主动脉炎

标本为主动脉，在内膜面可见呈弥漫分布的树皮样皱纹，有的皱纹呈放射状或与管轴平行。黄白色略突起的斑块，为合并动脉粥样硬化之病变。

（二）组织切片

1. 化脓性脑膜炎（流脑）

软脑膜及蛛网膜的血管高度扩张充血，蛛网膜下腔扩张：充满嗜中性粒细胞及少量纤维素，脑实质病变不明显。

2. 阿米巴痢疾（肠）

（1）肠粘膜发生缺损形成溃疡，溃疡口小底大，可深达肌层；

（2）溃疡边缘及底部可见一层坏死组织。

（3）坏死组织与正常组织交界处可找到阿米巴滋养体。

3. 阿米巴性肝脓肿

切片取自肝组织，见肝组织坏死，肝细胞索消失，呈一片淡红染色无结构的物质。坏死组织边缘可见到阿米巴滋养体。

（三）幻灯片

小结和思考题

1. 绘图及描述：流脑的镜下病变。

2. 流脑和乙型脑炎有何区别（从病因、部位、病变性质、病理变化、结局等方面考虑)?

3. 比较肠伤寒、菌痢、虫痢及肠结核之溃疡有何不同。

第十章　病理生理学

实验一　机体的血-脑脊液屏障和淋巴结屏障功能

【目的要求】

观察小鼠血管膜、脑膜及家兔淋巴结对染料（1%台盼蓝）的阻挡作用，了解机体内屏障的多样性及其在疾病发生发展过程中的意义。

【实验材料】

1. 器材

手术刀，手术剪，镊子，止血钳，注射器（1、10ml），药棉，纱布，线，解剖板，大头针。

2. 药品

1%台盼蓝。

3. 动物

小白鼠，家兔。

【内容和方法】

1. 取小白鼠一只，由尾静脉注入1%台盼蓝0.5ml。30分钟后，将小鼠拉椎处死，剖开颅骨与椎骨，暴露脑与脊髓，比较脑实质、脑膜及其他各组织的着色情况。

2. 取家兔一只，于一侧后肢下注射1%台盼蓝3ml，一小时后从兔耳缘静脉注入空气8~10ml，造成家兔空气栓塞死亡，然后解剖出家兔两侧腘窝淋巴结及腹股沟淋巴结，看有无蓝染，哪一侧蓝染。

思考题

血脑屏障和淋巴结屏障对机体有何意义？

实验二　肝脏对肾上腺素的解毒作用

【目的要求】

通过观察肝脏的化学解毒作用，了解机体内屏障的多样性及其在疾病发生发展过程中的意义。

【实验材料】

1. 器材

兔急性手术器械一套（手术刀、剪、镊子、止血钳等）。

动物血压及呼吸描记装置（二道生理记录仪）。

动物脑导管，气管插管各 1 个，动物脑夹，1ml，10ml 注射器及针头，药棉，纱布等。

2. 药品

1%普鲁卡因，0.2%肝素，1∶10000 肾上腺素，1∶50000 肾上腺素，25%乌拉坦，生理盐水。

3. 动物

家兔一只。

【内容和方法】

1. 手术过程

兔称重，25%乌拉坦耳缘静脉注射麻醉（4ml/kg），仰卧固定于兔台上。手术部位（颈、腹部）剪毛（亦可用1%普鲁卡因局部浸润麻醉）。

颈部手术：将颈部正中皮肤切开长 6~8cm，分离出气管及一侧颈动脉，挂线备用，并作好气管插管。

腹部手术：沿腹正中线切开皮肤约 3cm，沿腹白线剪开腹壁肌层及腹膜，打开腹腔，找出一段小肠及肠系膜，以温生理盐水纱布覆盖备用。

插好颈动脉插管，连接血压及呼吸描记装置。

2. 实验观察步骤：

（1）描记一段安静状态下的呼吸、血压曲线，以动脉血压呼吸作指标，一项实验结果显示后再开始下项实验。

（2）依次分别向耳缘静脉及肠系膜静脉注入生理盐水 0.2ml。

（3）用中等速度向耳缘静脉注射 1∶50000 肾上腺素 0.2ml。

（4）向肠系膜静脉注射 1∶50000 肾上腺素 0.2ml。

（5）向耳缘静脉注射 1∶10000 肾上腺素 0.2ml。

（6）向肠系膜静脉注射 1∶10000 肾上腺素 0.2ml。

（7）观察分析（2）~（6）的血压及呼吸描记曲线。

3. 注意事项

（1）颈总动脉分离要稍长（3~4cm），不要使用锐利的器械分离，以免刺破颈动脉。

（2）牵引出小肠的动作要轻巧。

(3) 注意注射顺序、速度，还要防止血液凝固。

思考题

动物的血压有何变化？为什么？

实验三　环境温度对机体耐受缺氧的影响

【目的要求】

观察机体在不同环境温度下对缺氧耐受的差异，了解条件因素在缺氧发病中的重要性及临床应用冬眠和低温治疗的实用意义。

【实验材料】

1. 器材

广口瓶（配有橡皮塞），大烧杯，酒精灯，三脚架，石棉网，温度计，天平，冰。

2. 药品

食盐，钠石灰。

3. 动物

小白鼠，要求性别一致。

【内容和方法】

1. 取三只广口瓶，各放入钠石灰少许（约 5g）。

2. 将一只烧杯盛装冰块半杯，并加入少量食盐，另一只烧杯加入 40~42℃热水。

3. 取同性别、体重相近的小鼠三只，分别放入三只广口瓶内。

4. 同时塞紧三只瓶口，立即分别置于二只加有热水的烧杯内和室温条件下，记录实验开始的时间。

5. 仔细观察各鼠在瓶内的活动情况、呼吸频率等，记录死亡时间。若有两只鼠死后 5 分钟，另一只仍未死，亦可终止实验。

【实验结果】

见表 10-1

表 10-1　环境温度对小白鼠耐受缺氧的影响

项目 鼠	温度	开始时间	活动情况	呼吸频率		死亡时间
				前	后	
高温度						
低温度						
室温度						

思考题

动物死亡的原因是什么？不同温度对机体耐受缺氧有何影响？

实验四　年龄及代谢状况不同对缺氧耐受性的影响

【目的要求】

了解某些因素对缺氧耐受性的影响。

【实验材料】

1. 器材

大口瓶（配有橡皮塞）瓶内装有钠石灰，或小型干燥器，凡士林，1ml 注射器及针头。

2. 药品

1%咖啡因，0. 25%氯丙嗪，钠石灰。

3. 方法

（1）取成年小白鼠 2 只（作上标记），实验前 20 分钟腹腔注射 1%咖啡因 0. 1ml/10g 体重。

（2）取成年小白鼠 2 只（作上标记），实验前 20 分钟注射 0. 25%氯丙嗪 0. 1ml/10g 体重，待动物不太活动后全身浸入冰水中 5～10min。

（3）将正常成年小白鼠及初生小白鼠用铁纱包裹好，共同放入一只广口瓶中，再将注射咖啡因小白鼠及注射氯丙嗪加冰冻小白鼠各 2 只，共同放入另一只大口瓶内或干燥器内，将盖盖紧，记录时间。

（4）直至正常成年小鼠死亡，结束实验。

（5）观察各组动物的一般表现。比较死亡发生的早晚。

思考题

1. 本次各实验中何为原因？何为条件？
2. 分析各鼠存活时间为何不同？

实验五　组胺对血管壁通透性的影响

【目的要求】

1. 观察组胺增强血管壁通透性的效应。

2. 了解 H_1 受体阻断药苯海拉明抑制组胺增强血管壁通透性效应。

【实验材料】

1. 器材

鼠板，眼科手术器材，0. 25ml 和 0. 5ml 注射器。

2. 药品

25%乌拉坦，1%组织胺生理盐水，二甲苯，苯海拉明注射液，1%伊文思蓝生理盐水，生理盐水。

3. 动物

大白鼠。

【内容和方法】

1. 取大白鼠 2 只，称重，25%乌拉坦 0. 4ml/100g 腹腔注射麻醉，仰卧固定后，向其中一只肌肉注射苯海拉明 2mg/100g，向另一只大鼠肌注等量生理盐水。

2. 剥离一侧股静脉，向其中注入 1%伊文思蓝生理盐水 0. 2ml/100g。

3. 腹部剪毛，于每只大鼠腹部 3 个不同部位分别向皮内注入生理盐水、1%组胺生理盐水、二甲苯各 0. 05ml。

4. 约 15~20min 后，观察 2 只大鼠各皮丘蓝染的情况，比较、分析苯海拉明对各皮丘的影响。

5. 注意事项

（1）腹部剪毛要尽量干净，以便观察，且勿损伤皮肤。

（2）注射伊文思蓝要准确，避免外漏。

（3）实验鼠和对照鼠实验步骤要尽量同步进行。

思考题

分析本次实验结果。

实验六　实验性肺水肿

【目的要求】

复制实验性肺水肿；观察肺水肿时家兔呼吸功能的改变及全身状况的变

化，分析其发生机制。

【实验材料】

1. 器材

婴儿秤，天平，颈部小手术器械一套，气管插管，静脉导管及静脉输液装置，注射器（1、2ml），听诊器，二道生理记录仪，兔台，烧杯，纱布，粗线，细线，吸水纸。

2. 药品

25%乌拉坦，肾上腺素生理盐水（0.1%肾上腺素 1ml+生理盐水 9ml），0.1%肝素溶液。

3. 动物

家兔。

【内容和方法】

1. 取兔甲，称重后仰卧固定于兔台上，剪去颈部的被毛，以 25%乌拉坦（1g/kg 体重）静脉注射麻醉（亦可以 1%普鲁卡因作颈部浸润麻醉），切开颈部皮肤，按常规操作，分离气管和一侧颈动脉，颈外静脉。

2. 在气管下面穿一粗线备用，切开气管，插入气管插管，用粗线结扎固定，用蛙心夹夹住剑突处皮肤，连接张力换能器，接入二道生理记录仪，以描记呼吸。

3. 将静脉导管连接静脉输液装置，注意排除管内气体，结扎颈外静脉远心端，在近心端靠近结扎处剪一小口并插入静脉导管，结扎固定。打开静脉输液装置的螺旋夹，缓慢输入生理盐水（10~15 滴/分）。

4. 结扎颈动脉远心端，在近心端靠结扎处剪一小口插入动脉导管（导管内预先充满肝素溶液以防凝血），经压力换能器连接二道生理记录仪，描记血压。

5. 描记一段正常呼吸、血压后，用听诊器听肺部的呼吸音，然后输入37℃生理盐水（输入总量为 100ml/kg，速度为 180~200 滴/分），待滴注接近完毕时，立即向输液瓶中加入肾上腺素（0.45mg/kg），继续输入。

6. 密切观察呼吸改变，气管或鼻孔内是否有粉红泡沫状液体流出，听诊肺部有无湿性啰音出现。当证明肺水肿出现时，则夹住气管处死动物，打开胸腔，用线在气管分叉处结扎，以防止肺水液流出。在结扎处以上切断气管，小心将心脏及血管分离（注意勿损伤肺组织），把肺取出，用吸水纸吸去肺表面的水分后称取肺湿重，计算肺系数。然后肉眼观察肺的大体改变，并切开肺，观察切面的改变，注意有无泡沫状液体流出。

7. 镜下观察肺组织切片。

8. 兔乙的实验步骤同兔甲，不同之处是兔乙不加输肾上腺素生理盐水。

肺系数计算公式：

$$肺系数=肺重量（g）/体重（kg）$$

正常肺系数为4~5。

9. 注意事项

（1）兔甲与兔乙的输液速度应基本一致，输液不宜太快，以180~200滴/分为宜。

（2）解剖取肺时，切勿损伤肺表面和挤压肺组织，以防止水肿液流出，影响肺系数值。

【实验结果】

实验结果记录于表10-2。

表10-2　家兔水肿时呼吸功能的变化

项目 / 比较	兔体重（kg）	肺重（g）	肺系数	肉眼观察所见
兔甲				
兔乙				

思考题

根据实验结果，联系理论分析水肿发生的机制。

实验七　实验性酸中毒

【目的要求】

1. 复制急性代谢性酸中毒动物模型，观察呼吸频率及幅度变化及动物血pH、二氧化碳分压的改变。

2. 对急性代谢性酸中毒进行实验性治疗。

【实验材料】

1. 器材

兔台，手术器械一套，1ml、5ml、10ml注射器及针头，带三通管的细塑料插管两支，气管插管（分叉的两端各套一小段乳胶管，一端结扎），血气分析仪，生理多道或二道记录仪等。

2. 药品

1%普鲁卡因，0.3%肝素（用生理盐水配制），12%磷酸二氢钠，5%碳酸氢钠，0.1 肾上腺素，生理盐水。

3. 动物

家兔。

【内容和方法】

1. 家兔称重后仰卧固定于兔台，剪去颈部和一侧腹股沟部的毛。

2. 局麻下分离气管，插好气管插管。分出一侧颈总动脉（长约 3cm），将其远心端结扎，近心端用动脉夹夹住。在靠近远心端结扎处，用眼科剪呈 45°角向心方向剪开血管（约为口径的 1/4~1/3，切勿剪断），将与三通活塞相连的充满 0.3%肝素的细塑料管尖端轻轻插入血管内，并结扎固定，以防滑脱。插入气管插管并固定。

3. 局麻下沿股动脉走行方向，切开股三角皮肤，分离出一侧股动脉和股静脉，套线备用，用湿生理盐水纱布覆盖。

4. 向股动脉及股静脉分别插入充满肝素并带有三通管的细塑料管。

5. 连接好呼吸和动脉血压描记装置后，记录一段安静曲线。

6. 用 1ml 注射器吸取少量肝素，将管壁湿润后推出，使注射器死腔和针头内部充满肝素。迅速去掉针头，立即插入三通活塞取血 0.3~0.5ml（注意勿进入气泡）。关闭三通活塞，拔出注射器并套上原针头，搓动注射器片刻，使血液与肝素混合。

7. 检测各项指标，作为实验前的正常对照。

8. 自股静脉（或耳缘静脉）缓慢注入 12%的磷酸二氢钠溶液，剂量为 5ml/kg 体重。

9. 给药后 10min，经三通活塞取血，用血气分析仪检测各项指标：血液 pH 值和 CO_2 分压有何不同？并观察血压、呼吸变化。

10. 自股静脉缓慢输入 5%碳酸氢钠，按每公斤体重 5ml 进行补碱治疗。

11. 经治疗后 10min，取血并检测各项指标，观察是否恢复到接近正常水平。

12. 注意事项

（1）取血时切勿进入气泡，否则影响血液酸碱参数。

（2）取血后宜向三通管内注入少量肝素，以防凝血。

（3）捉拿固定动物时动作要轻，以免因刺激而造成动物过度通气。

思考题

分析酸中毒时体内代谢改变及对机体的影响。

实验八　兔失血性休克

【目的要求】

通过给动物人工放血，造成家兔失血性休克，观察失血性休克过程中，机体血循环、呼吸、泌尿系统的变化，了解抢救失血性休克的重要措施。

【实验材料】

1. 器材

手术器械一套，二道生理记录仪，输血输液装置，测中心静脉压装置，微循环观察装置，带三通管的细塑料插管，气管插管，输尿管插管（用细塑料管代用），记滴器，肛表，500ml 储血瓶，注射器（1、10、50ml）。

2. 药品

20%乌拉坦，生理盐水，微循环灌流液（台氏液加入 1%明胶配成），0.1%肝素溶液。

3. 动物

家兔。

【内容和方法】

1. 取成年家兔一只，称重后经耳缘静脉注射 20%乌拉坦（1g/kg 体重）麻醉。

2. 将家兔仰卧固定在实验台上，剪去手术部位的被毛，在甲状软骨下切开颈部正中皮肤 5~6cm，分离气管，双侧颈动脉和右侧颈外静脉；切开气管，插入气管插管并结扎固定。用蛙心夹夹住胸部皮肤，连接张力换能器，接入二道生理记录仪，描记呼吸。结扎一侧颈动脉远心端，在近心端靠结扎处剪一小口插入动脉导管（导管内预先充满肝素溶液以防凝）。经压力换能器连接二道生理记录仪，描记血压。另一侧颈动脉下方穿一线，以备观察减压反射用。

3. 从右颈外静脉插入 5cm 长的静脉导管，导管的外端用三通管连输液瓶和水检压计，用来测定中心静脉压和输液。在测压前，阻断检压计侧管，使导管与输液瓶相通，缓慢输入生理盐水（10 滴/分左右），保持静脉通畅。

4. 在耻骨联合上作腹部正中切口长 6cm，找出膀胱，排空尿液后，将膀胱从腹腔拉出，在背面膀胱三角区找出双侧输尿管入口，分离双侧输尿管，插入输尿管导管，用记滴器记录每分钟尿滴数。

5. 从腹部切口中找出一段游离度较大的小肠肠襻，轻轻从腹中拉出，放置在微循环灌流液盒内，用显微镜观察肠系膜微循环。

6. 切开一侧腹股沟皮肤，找出股动脉，结扎远心端，在近心端剪一小口插入带三通接头的细塑料管，以备放血用。

7. 打开股动脉插管的三通管接头，将血液放入预先盛有肝素溶液的储血瓶内，直至血压降至 6kPa 时（或记录仪上血压曲线明显下降时），调节储血瓶高度（瓶内液面约高于心脏水平 50cm 左右），以维持血压稳定在低水平。

8. 记录失血期间家兔各项指标及肠系膜微循环改变。

9. 抢救 停止放血，将放出的血液倒入输液瓶内，快速点滴回输原血和与失血量相等的生理盐水（150 滴/分），亦可将原血从股动脉导管内加压推入进行抢救。输血输液后再复查家兔一般情况及各项生理指标是否恢复正常。

10. 注意事项

（1）本实验手术多，应尽量减少手术性出血和创伤性休克。

（2）麻醉深浅要适度。

（3）动脉导管和储血瓶中，预先应加一定量的肝素溶液以防凝血。

（4）颈总动脉、颈外静脉分离时，动作要轻巧；插管要注意排气；静脉导管一经插入应立即缓慢滴注生理盐水，以防止凝血。

（5）腹部切口稍靠上一些，以便小肠襻易拉出；牵拉肠襻动作要轻。

（6）维持动脉血压于 5～6kPa 较合适，观察期内应随时注意血压的改变，并进行调整。

（7）掌握好输液速度，必须在规定的时间内输完。

【实验结果】

实验结果记录于表 10-3 内。

表 10-3 兔失血性休克过程中血循环、呼吸、泌尿系统的变化

项目 时期	血压 （kPa）	CVP （cm）	呼吸 （次/分）	尿量 （滴/分）	微血管口径及流速 （μm、快、慢）
放血前（正常）					
放血后（休克）					
恢复后					

思考题

分析休克发生发展过程中上述变化的发生机制，抢救原则是什么？

实验九　急性炎症的局部表现及血管通透性的改变（附空气栓塞）

【目的要求】

观察急性炎症局部的红、肿、热、痛及功能障碍等表现。观察炎症时血管通透性的改变，加深对炎症的基本病理变化的理解。了解空气栓塞的后果。

【实验材料】

1. 器材

解剖刀，手术剪，止血钳，注射器（1、10ml），棉线，兔台。

2. 药品

松节油，1%台盼蓝。

3. 动物

白色家兔。

【内容和方法】

1. 实验前一天先用剪刀剪去一侧兔耳背面的短毛，直至耳根，在去毛的兔耳下注射松节油 0.2ml。

2. 次日实验时先观察兔耳局部颜色、厚度、温度、血管变化，兔耳炎症区域血管通透性的变化，并比较两侧兔耳的功能。

3. 由健侧兔耳静脉注入 1%台盼蓝 3ml，观察两耳蓝色出现的时间和分布情况。

4. 空气栓塞

（1）用注射器向家兔耳缘静脉内迅速注入空气 5~6ml，动物很快死亡。

（2）在家兔呼吸停止后，打开胸腔，观察心脏有何异常情况。

（3）用棉线结扎心输出口的大动脉、静脉，剪断，把心脏摘出，浸在小脸盆盛装的水中，将右心切开，观察有何现象发生。

【实验结果】

实验结果记录于表 10-4 内。

表 10-4　观察家兔急性炎症局部表现及血管通透性改变

观察指标	颜色	厚度	温度	血管变化	耳功能
对照耳					
炎症耳					

思考题

1. 炎症局部出现红、肿、热、皮肤蓝染、耳廓下垂的机制如何？
2. 分析空气栓塞造成动物死亡的机制。

实验十　炎症渗出物中粒细胞的吞噬作用

【目的要求】

通过实验观察，理解炎症渗出时的动态变化。

【实验材料】

1. 器材

1ml、5ml 注射器及针头，毛细玻璃管，显微镜，玻片，香柏油，鼠板，棉绳。

2. 药品

2%可溶性淀粉，5%鸡红细胞悬液，瑞氏染液，蒸馏水。

3. 动物

小白鼠。

【内容和方法】

1. 于实验前 20 小时用无菌操作给小鼠腹腔内注入 2%的灭菌淀粉 2~3ml/只，造成腹膜炎。

2. 实验时，动物腹腔内已有含吞噬细胞的无菌渗出液，此时，再给动物腹腔内注入 5%鸡红细胞悬液 0.5ml。

3. 30min 后，固定小鼠于鼠板上，将毛细玻璃管刺入小鼠腹腔，将渗出液吸出。滴一小滴于玻片上涂片，作瑞氏染色，于油镜下观察渗出液中粒细胞吞噬鸡红细胞的现象，记录结果。

【附】渗出液的推片与瑞氏染色法

1. 推片

（1）滴一滴渗出液于玻片的一侧中间，另用一边缘整齐光滑的玻片倾斜 30°~45°角度置于渗出液处。

（2）用匀速推成均匀的薄片，置空气中晾干。注意二玻片之间角度愈小，速度愈快，则推出的液膜愈薄，反之即厚。

2. 染色

（1）将推好的玻片，选中间厚薄合适的一段，用蜡笔划出。

（2）加瑞氏染液数滴，使其均匀布开（但勿令染液干燥）。

（3）1~2min 后，加等量蒸馏水，摆动玻片使与染液充分混匀。

（4）4~5min 后，倒去玻片上的染液再用清水冲洗。

（5）干燥后，置油镜下观察。

思考题

本实验中，吞噬细胞的变化说明了什么？

实验十一　实验性肿瘤

【目的要求】

1. 学习小鼠实验性肿瘤常用的移植方法，了解小鼠移植性肿瘤株的建立及其意义。

2. 应用细胞化学方法观察瘤细胞的 DNA 及 RNA 含量。

3. 用体外方法观察药物对艾氏腹水癌细胞的杀伤作用。

【实验材料】

1. 器材

消毒盒（内装消毒常用手术器械一套、平皿 2 个、1ml 注射器 3 副，注射针头 3 只，滴管 4 支，链霉素小瓶 4 只，橡皮塞 4 只，腰穿和针套管一套），灭菌生理盐水，石蜡板，计数板，固定针，显微镜，37℃恒温箱，吸水纸，载玻片等。

2. 药品

75%酒精，30%碘酊、5%台盼蓝，某抗癌药，甲基绿-派若宁染液，丙酮、Carroyls 固定液，丙酮-二甲苯（等量），二甲苯。

3. 动物

S_{180}实体瘤，艾氏腹水癌小鼠，正常昆明种小鼠。

【内容和方法】

1. 实验性肿瘤的移植。

（1）实体瘤小块接种法

①拉断颈椎处死 S_{180}实体瘤小鼠，仰卧固定，碘酒、酒精局部消毒。然后用消毒剪刀剪开右侧腋窝下肿瘤部位的皮肤，剥取瘤块置于平皿中。用眼科小剪，选取生长良好无坏死的瘤组织，剪成芝麻大的小块备用。

②取健康昆明种小鼠，用 75%酒精消毒右侧腋下皮肤，然后剪一小口，用小镊子将已备好的瘤块轻轻送入腋部皮下（共 3~4 块），再用小镊子轻夹使创口闭合。最后再用酒精轻擦创口消毒。也可用套管法：将装有瘤块的腰穿刺针直接刺入小鼠右侧腋部皮下，然后用套针将瘤块推入皮下。

③将移植好的小鼠置入笼子饲养和观察。

（2）腹水型肿瘤接种法

将艾氏腹水癌小鼠拉断颈椎处死后，腹部皮肤用碘酒和酒精消毒，用灭菌注射器从下腹部侧面进针抽取腹水液 0.5ml，放入无菌容器内，加入无菌生理盐水等量稀释后，摇匀，接种于正常昆明种小鼠的腹腔内，注射量为 0.2ml/只。

2. 瘤细胞核酸染色

（1）取瘤液少许，在洁净玻片上推成均匀薄片。

（2）晾干后，置入 Carroyls 液中固定 30min，取出吸干。

（3）甲基绿-派若宁染液染 6~10min，取出吸干。

（4）丙酮快速提取 2 次。

（5）丙酮-二甲苯漂洗 2 次。

（6）二甲苯中透明后，中性树胶封固。

结果：DNA 蓝绿色，RNA 呈红色。

3. 药物对肿瘤细胞杀伤作用的体外观察

（1）瘤细胞制备：用注射器抽取少量腹水，滴 2 滴于 2ml 生理盐水安瓿中，充分摇匀后滴在计数板上，在显微镜下计数，用生理盐水稀释成 10^6/ml 浓度的瘤细胞悬液，共制瘤液 4ml。

（2）取洁净链霉素瓶 4 只，均加入艾氏腹水癌细胞悬液，每瓶量为 1ml，含瘤细胞 1×10^6。

（3）试验组加入某抗瘤药物适量，对照组加入生理盐水 0.2ml。

（4）摇匀后置 37℃温箱中，1h 间歇摇匀使瘤细胞与药物充分接触。

（5）用台盼蓝排除试验法计算死和活细胞百分数：取瘤细胞悬液和 5% 台盼蓝各一滴滴于玻片上，用滴管打匀，然后取少量滴入计数池内，在高倍镜下记录活瘤细胞数（即台盼蓝染色阴性的细胞）

抗瘤药杀伤瘤细胞%＝（对照组活瘤细胞数-实验组活瘤细胞数）/对照组活瘤细胞数×100%

注：活瘤细胞数指随机计数 100 个瘤细胞数，记录其中细胞数。

（6）对实验结果进行比较。

4. 注意事项

（1）作肿瘤移植时，应在超净台上无菌操作，防止感染，以免影响移植瘤的成活率。

（2）接种实体瘤时部位要准确，应在小鼠右侧皮下。

（3）腹水接种时勿刺伤内脏，动作要迅速，以免瘤液逸出。

（4）染色时按步骤操作，时间掌握要好，边染可边适时在镜下观察。

（5）药物试验时，每瓶加药量及瘤细胞数应一致，以免引起结果误差。

思考题

试分析某药物杀伤瘤细胞的可能机制。

实验十二　急性左心衰竭

【目的要求】

1. 通过结扎家兔左冠状动脉前降支，造成急性心肌缺血损伤而引起急性左心衰竭。

2. 观察急性心肌缺血及其对心泵功能的影响，心电图的主要变化。

【实验材料】

1. 器材

开胸用手术器械一套，2ml、5ml、10ml 注射器及针头，多道生理记录仪一台，消毒孔巾，敷料，药棉，缝线等。

2. 药品

20%乌拉坦，1%普鲁卡因溶液，3%碘酒，75%酒精，3‰肝素溶液，碳素墨水。

3. 动物

家兔。

【内容和方法】

1. 家兔称重后，按 4ml/kg 由耳缘静脉注入 20%乌拉坦麻醉。

2. 家兔仰卧固定后，颈部及胸部左侧剪毛。局部用碘酒、酒精消毒，铺开孔巾，暴露手术部位。

3. 颈部正中切口，游离右侧颈总动脉，穿线备用。

4. 胸部皮下注入 1%普鲁卡因浸润麻醉后，沿胸骨中线从胸锁关节平线至剑突上切开皮肤后，向胸部中线左侧肌肉注入 1%普鲁卡因浸润麻醉，并切开左胸肌层，用有齿镊在距胸正中约 0.5cm 处夹住和提起肋软骨，用粗剪剪断左 2、3、4 肋软骨用小开胸器轻轻撑开胸腔切口，即可见心包及搏动的心脏。

5. 用眼科镊夹起心包膜，再用眼科剪将心包前壁剪开，暴露心脏。用包裹湿纱布的左手食指，将心脏向右拨使其外旋，显露左室外侧面，即可见一穿行于浅层心肌下、纵行到心尖的血管，即为冠状动脉前降支。用小号持针器持眼科圆形弯针（“0”号缝线）在距左心耳下缘约 0.5cm 处（前降支根部），穿线，暂不结扎。

6. 结扎右颈总动脉远心端，在结扎线以下剪开动脉壁一小口，插入动脉插管，连接压力换能器，测记血压。

7. 连接好心电图诱导电极（V_1-V_5 导联）记录下心电图。

8. 牵开胸壁，结扎贯穿前降支的线，然后再关闭胸壁，缝合肌肉、皮肤。

9. 术后记录下各导联的心电图，有何改变？结扎 20 分钟后，40 分钟后，重复记录各导联心电图，注意观察心脏搏动状况。心电图上如出现 Q 波，ST 段抬高，T 波倒置，即说明动物已造成心肌梗死。

10. 动物死亡后，观察心脏各部分体积的变化。打开胸膜腔，观察肺脏变化。然后剪下心脏，在升主动脉根部 1.5cm 处，剪断升主动脉。插入塑料管，并扎紧，再从左房根部结扎左房，由塑料管向升主动脉内注入碳素墨水 2.5ml，观察心室壁黑染范围，估测未黑染（缺血部分）面积约占左室游离壁面积百分比。

11. 注意事项

（1）术中注意消毒，尽量防止感染。

（2）暴露心脏时，切勿损伤胸膜，防止造成气胸。

（3）家兔冠脉前降支结扎要准确。

（4）尽量靠近胸骨剪断肋软骨，避免损伤乳房内动脉而造成大出血。

（5）压力换能器压力室到导管的整个管路中均应充满液体，不能有气泡，并注意用肝素抗凝，以防凝血。

思考题

分析心肌梗死的发生原理及对机体的影响？

实验十三　急性人工气胸

【目的要求】

1. 复制急性胸膜腔疾患（人工气胸）的动物模型。

2. 观察急性人工气胸时，呼吸、血压、心率和动脉血气的变化。

【实验材料】

1. 器材

兔急性手术器械一套，二道生理记录仪，注射器（100ml，10ml，2ml，1ml）及针头，血气分析仪，胸膜腔检压装置一套。

2. 药品

20%乌拉坦，1%普鲁卡因，生理盐水，0.1%肝素。

3. 动物

家兔。

【内容和方法】

1. 家兔一只，称重后仰位固定于兔台上，由耳缘静脉注入20%乌拉坦（5ml/kg）麻醉，颈部和胸部剪毛。

2. 剥离一侧颈总动脉，描记血压，做好气管插管，描记呼吸。剥离两侧股动脉以备取血之用。

3. 描记一段安静状态下的呼吸、血压曲线、记录呼吸频率和心率，由股动脉取血测血气参数，并观察口唇颜色，以作对照。

4. 用连有水检压计的胸膜腔套管，从右第4或第5肋间锁骨中线处沿肋骨上缘刺入胸膜腔，以测定胸腔负压。如果检压计水柱出现与呼吸运动相应的升降运动，则表示套管（或针头）已进入胸膜腔。检压计通向胸膜腔一端的水柱液面高度，代表胸膜腔负压的大小。

5. 以胸腔负压测定装置作监测，用100ml注射器向胸膜腔迅速注入空气50ml，观察呼吸、血压、心率、口唇颜色有何变化。

6. 然后再缓慢注入空气50ml，观察与上面的结果有何不同？为什么？并测股动脉血气参数。

7. 将胸膜内空气缓慢抽出，负压恢复正常水平15min后，再次观察并记录血压、呼吸、心率、口唇颜色，并取动脉血测血气参数。

8. 再作开放性气胸实验

（1）在左第5肋间距胸骨左缘1.5～2cm处，切开皮肤，分离肌肉，用血管钳刺破壁层胸膜，造成开放性气胸，并记录呼吸、血压变化，取动脉血测血气含量。然后用软组织掩盖伤口，再次观察呼吸和血压变化。

（2）在原来伤口的基础上，再扩大，将第3、4、5肋骨一并切除，造成更大伤口的开放性气胸，观察左肺萎陷及纵隔摆动的状况并观察呼吸、血压、口唇颜色的变化。

9. 注意事项

（1）取血切忌与空气接触，如针管内有小气泡要立即排除，取血量依血气分析仪要求酌定。

（2）气胸后胸腔内的空气一定要抽尽。

【实验结果】

实验结果记录于表10-5内。

表 10-5 人工气胸时呼吸、血压、心率等观察表

	呼吸频率及深度	血压（mmHg）	心率（次/分）	PaO_2、$PaCO_2$（mmHg）	口唇颜色
正常对照				√	
小量气胸					
大量气胸				√	
恢复后				√	
小开放气胸				√	
开放气胸闭合后					
大开放气胸					

√为测动脉血气标记。

思考题

急性人工气胸对呼吸、血压、心率、血气含量有何影响？为什么？

实验十四 实验性肝细胞性黄疸

【目的要求】

1. 了解四氯化碳中毒性肝细胞损伤模型的复制方法，学习肝功能和胆色素代谢的常用生化指标测定。

2. 观察肝细胞性黄疸时动物状况，血、尿改变，掌握此型黄疸胆色素代谢障碍的特点。

【实验材料】

1. 器材

小试管，吸管，注射器，光电比色计，恒温水浴锅，血管钳，手术剪，灌胃器，小三角烧瓶，棉球。

2. 药品

四氯化碳（原液）、生理盐水，磷酸盐缓冲液（pH7.4），0.4mol/L NaOH 溶液，谷丙转氨酶基质液，2,4-二硝基苯肼溶液，丙酮酸钠标准液，重氮试剂，黄疸指数标准比色管，95%乙醇，0.0725mol/L 亚硝酸钠溶液，0.962mol/L $BaCl_2$ 溶液，浓盐酸，醛试剂，碱性酒石酸钠液。

3. 动物

大白鼠。

【内容和方法】

1. 动物模型复制方法　大鼠2只，1只为对照，1只为实验，分别称重，实验鼠用四氯化碳0.3~0.4ml/100g剂量灌胃，对照鼠用等量生理盐水灌胃。

2. 喂养与集尿　实验和对照动物分别置代谢笼中，喂以颗粒料及0.28mol/L（5%）葡萄糖液。用三角烧瓶收集尿液，每24小时尿为一份标本。

3. 观察与采血　模型复制后24~48小时，先观察比较实验鼠与对照鼠的一般状况、粘膜、皮肤颜色，然后采血。采血时，用血管钳夹住颈背皮肤，提起动物，剪开腹股沟部皮肤，钝性分离皮下组织、肌肉，暴露股动、静脉，剪断股动、静脉，用清洁干燥试管接血。血液用4000r/min离心5min，分离血清于另一干试管中备用。

动物处死后，观察比较实验鼠与对照鼠的皮下脂肪颜色和肝脏的外观、形态，并取出肝组织以10%甲醛固定以备作切片进行镜下观察。

4. 血清和尿常用生化指标测定

（1）血清谷丙转氨酶（SGPT）活性测定。

①取试管4支，分别标明实验动物空白，测定管和对照动物空白。测定管按表10-6加样。

表10-6　SGPT活性测定

	实验动物		对照动物	
	空白管	测定管	空白管	测定管
血液（ml）	0.1	0.1	0.1	0.1
谷丙基质液（ml）（50℃预温5min）	–	0.5	–	0.5
摇匀，在50℃水浴保温30min				
2. 4二硝基苯肼（ml）	0.5	0.5	0.5	0.5
谷丙基质液（已预温）（ml）	0.5	–	0.5	–
混匀，50℃水浴6min，取出后冷水冷却至室温				
0.4mol/LNaOH（ml）	5.0	5.0	5.0	5.0

②加样完毕，摇匀，室温放置5min，用520nm波长比色，用空白管调“0”，记录光密度，查标准曲线求SGPT的单位数（表10-7）。

表 10-7　SGPT 标准曲线制作

	空白	1	2	3	4	5
丙酮酸钠标准液（ml）	—	0.05	0.1	0.15	0.2	0.25
相当于100ml 血清 SGPT 单位数	—	100	200	300	400	500
谷丙基质液（ml）	0.5	0.45	0.40	0.35	0.30	0.25
磷酸盐缓冲液（ml）	0.10	0.10	0.10	0.10	0.10	0.10
混匀 50℃水浴 6min						
2，4 二硝基苯肼（ml）	0.5	0.5	0.5	0.5	0.5	0.5
混匀 50℃水浴 6min 取出冷水冷却至室温						
0.4mol/LNaOH（ml）	0.5	0.5	0.5	0.5	0.5	0.5

③加样完后混匀，以空白管调“0”，520nm 波长比色，读取各管光密度，在坐标纸上绘制标准线，以光密度为纵坐标，以相当于每 100ml 血清的 SGPT 单位数为横坐标。

5. 胆红素测定方法——咖啡因法（改良 Jendrassik Grof 法）

（1）原理　本法用咖啡因、苯甲酸钠和醋酸钠三联剂为加速剂，在碱性条件下进行重氮反应，灵敏度和特异性较高。

（2）试剂

①加速剂：醋酸钠（$CH_3COONa \cdot 3H_2O$）63.0g，苯甲酸钠 38.0g，EDTA-$Na_2$0.5g，共溶于 500ml 水中。加入咖啡因 25.0g 搅拌使溶（不可加热!），加水至 1000ml。混匀，过滤，滤液贮于棕色瓶内。

②碱性酒石酸钠液：NaOH75.0g，酒石酸钠（$Na_2C_4H_4O_6 \cdot 2H_2O$）263.0g，溶于水中并稀释至 1000ml 刻度，混匀。

③重氮试剂

甲液：0.5g 对氨基苯磺酸，加水使溶，加浓盐酸 1.5ml，加水至 100ml，混匀。

乙液：0.5g/L 亚硝酸钠液

临用前取甲液 20ml，乙液 0.5ml，混匀。

④4%维生素 C：维生素 C200mg，临用前加水 5ml 使溶。

（3）操作　制作标准曲线

①标准胆红素原液（171μmol/L）：称取干燥纯胆红素 10mg，加二甲亚砜 1ml，搅匀，加 0.1mol/L $NaCO_3$2.0ml，使溶。缓缓加入 80ml 合格的人混合血

清，边加轻摇。加入 0.1mol/L 盐酸 2.0ml，移入 100ml 容量瓶中，用同一混合血清稀释至 100ml。混匀，避光，4℃可贮存 3 天。

②按表 10-8 稀释标准胆红素原液。

表 10-8 胆红素原液稀释标准

加入物（ml）	B	1	2	3	4	5
标准胆红素原液	-	0.40	0.80	1.20	1.60	2.00
合格人混合血清	2.0	1.60	1.20	0.80	0.40	-
相当于血清胆红素浓度（μmol/L）	0	34.2	68.4	102.6	36.8	171

混匀，B 管调零，读取 1~5 管吸光度值，绘制标准曲线。

③样品测定：按表 10-9 进行（加入每一试剂即混匀）

表 10-9 样品测定参考值

加入物（ml）	B	U_1	$U_总$
血清	0.2	0.2	0.2
蒸馏水	-	1.5	-
加速剂	1.6	-	1.6
0.5%对氨基苯磺酸	0.4	-	-
重氮试剂	-	0.4	0.4

混匀，U_1 为 1 分钟胆红素，加入重氮试剂后 1 分钟（用秒表），加 4%维生素 C 0.1ml 以终止重氮反应。B 管和 $U_总$ 管加完表中所列试剂后静置 10 分钟。三管各加碱性酒酸钠液 1.50ml，混匀。600nm 以 B 管调零，读取 U_1 和 $U_总$ 吸光度值。查标准曲线求其浓度。

（4）参考值　5.1~17.1μmol/L

（5）注意事项

①胆红素浓度在 171μmol/L 内线性良好，高于此值可用 0.9%NaCl 液将血清稀释后重测。10~37℃内显色可稳定 2 小时。轻度溶血无影响。

②维生素 C 有终止重氮反应作用，可以除去轻度溶血的干扰。叠氮钠可与胆红素竞争结合重氮试剂，使结果偏低。心得安和 α-萘酚衍生物可引

起结果偏高。

③操作中每种试剂均要混匀后再加另一试剂。

【临床意义】

同时测定总胆红素、1分钟胆红素对黄疸的鉴别有较大意义。溶血性黄疸时血清总胆红素升高，1分钟胆红素仅占总胆红素的20%。肝细胞黄疸总胆红素升高，1分钟胆红素占总胆红素的35%以上，而阻塞性黄疸1分钟胆红素占50%以上。

病毒性肝炎前期或无黄疸型肝炎时血清总胆红素往往不高，1分钟胆红素已经升高。1分钟胆红素较少，其性质和来源还未阐明。

实验十五　氨在肝性脑病发病机制中的作用

【目的要求】

学习复制肝疾患的模型，论证氨在肝性脑病发病机制中的作用。

【实验材料】

1. 器材

兔急性手术器械一套、5ml注射器、针头、粗线、细手术线、兔固定台、搪瓷方盘、动脉夹。

2. 药品

1%普鲁卡因、5%氯化铵混合液、1%肝素。

3. 动物

家兔二只。

【内容和方法】

1. 家兔一只（甲兔），称重后仰位固定于兔台上，剪去腹部正中及颈部的毛，并用1%普鲁卡因作局部浸润麻醉。

2. 作颈部手术，分离出颈总动脉，游离穿线备用。

3. 自右侧肋缘下腹部正中线旁开1cm处作一长5~7cm的切口。

4. 暴露出肝脏，以左手将肝脏轻轻外拉切断肝与横膈之间的镰状韧带，再将肝脏向上翻，切断肝胃韧带，在右外侧叶和中叶之根部用粗线结扎，待上述肝叶变成暗褐色后用组织剪逐叶剪除。

5. 沿胃幽门向下找出十二指肠，用小圆缝针作荷包缝合，从荷包中央剪一小口，将细塑料管向下插入十二指肠约4cm，收缩荷包。缝线打结固定后绕一圈再打两个结，将肠管回纳腹腔，只留塑料管一端于腹外，用三角缝针全层缝合腹壁。

6. 从耳缘静脉按 1ml/kg 量注射 1%肝素，用塑料导管作颈总动脉插管，并结扎固定，然后松开动脉夹，放血 2ml 于干燥小试管内作血氨测定。放血完毕后立即夹闭动脉夹。

7. 观察并记录家兔的呼吸、角膜反射、瞳孔大小及对刺激的反应等情况。

8. 将暴露于腹外的塑料导管，每隔 5min 注入氯化铵混合液 5ml，直至出现全身抽搐时，从颈总动脉放血 2ml 作血氨测定，记录氯化铵用量，并换算出每公斤体重之用量。

9. 将另一家兔（乙兔）称重后固定，除不作肝脏切除外，一切实验过程同前，观察有何变化。

10. 比较上两兔的实验结果，如不相同，说明什么问题。

11. 注意事项

（1）切勿将氯化铵混合液漏入腹腔，以免刺激腹膜。

（2）剪镰状韧带时勿伤膈肌和血管，游离肝脏时动作宜轻以免兔肝叶破裂出血。

（3）结扎肝叶根部时，勿误扎周围血管。

（4）十二指肠插管不要插向胃的方向。

（5）同学应明确分工各负其责，测血氨尤其需专人操作，以保证前后结果的一致性。

【附】氯化铵混合液配制每 100ml 中含 NH_4Cl 5g，$NaHCO_3$ 1.5g，GS 5g。

思考题

1. 此混合液中为什么要加入葡萄糖及 $NaHCO_3$？
2. 分析本次实验结果。

实验十六　急性肾功能不全

【目的要求】

1. 学习复制动物急性肾功能不全的模型。

2. 了解肾功能不全的有关检查方法，探讨肾功能不全时某些功能代谢障碍。

【实验材料】

1. 器材

兔台，手术器械一套，离心机，显微镜，恒温水浴锅，10ml 离心管，试管，0.5ml、5ml 刻度吸管，酒精灯，滴管术试管夹，10ml、500ml 量筒，玻片，注射器（2ml、10ml、20ml 各 1 个）。

2. 药品

1%氯化汞（$HgCl_2$），0.9% NaCl 溶液，1%普鲁卡因，0.2%肝素钠，0.15%酚红溶液 1 瓶，酚红标准管 1 套，磺基水杨酸液，标准尿素氮溶液，二乙酰一肟液，酸性尿素氮显色剂。

3. 动物

家兔。

【内容和方法】

1. 家兔两只，一只于实验前一天皮下注射 1%$HgCl_2$，1.25ml/kg 体重，造成急性肾功能衰竭，另一只在相同部位注射等量生理盐水作为正常对照。

2. 实验时将两兔分别仰卧于兔台，自耳缘静脉注入 20%葡萄糖溶液 20ml，以保证有足够的尿量。局麻下，在耻骨联合上方作一长 2～3cm 的正中切口，分离皮下组织，沿腹白线切开腹膜，暴露膀胱，用注射器抽尿液，然后开始以下检查。

（1）酚红排泄率试验

①从耳缘静脉注射 0.15%酚红溶液 1ml，并记录注射时间。

②分别于注射酚红后半小时，1 小时，2 小时末从膀胱收集全部尿液。

③将每次收集的尿液分别置于 500ml 量筒内，加 10%NaOH2.5ml，使之显色，然后加水至 250ml，吸出若干 ml 加入与标准管口径相等的试管中 2000r/min 离心 3～4min，与标准管比色得到不同时间内酚红排泄率。

（2）尿常规检查　将第一次收集的尿作下列检查。

①蛋白定性：取膀胱尿 5ml，加入磺基水杨酸 1ml，3～5min 后观察结果。

无混浊（-）　轻微混浊（±）　白色混浊（+）

乳样混浊（++）　絮状混浊（+++）　凝聚成块（+++）

②显微镜检查：取尿一滴，涂玻片上，观察尿内有无异常成分，如细胞、管型等，管型至少检查 10 个低倍视野，用最低至最高倍数报告。

③形态学观察：处死动物，取出两侧肾脏，沿肾之凸面中部作一水平切面，深达肾盂，注意肾包膜情况，切面的色泽，皮质与髓质分界是否清楚，并与对照组兔肾作比较。

组织切片示教，于显微镜下观察皮质肾小管上皮有无明显的变性、坏死、脱落，管腔内有无大量蛋白、红细胞和管型存在。

（4）血清尿素氮测定

原理：血液中尿素氮与二乙酰一肟在强酸条件下作用生成红色化合物。红色深浅与尿素氮含量成正比。

取血样：耳缘静脉或心脏穿刺取血 5ml，沉淀。离心 5min（2000r/min），分离血清，用乳头尖吸管将血清吸出，分别移置于一清洁干燥的小试管中备用。操作方法见表 10-9。

混匀后，置沸水锅中准确煮沸 10min，置流水中冷却 3min 后比色，用 520nm 波长或绿色滤光板比色，以空白管调零（或用蒸馏水作空白调零）。

表 10-9　血清尿素氮的测定

试剂（ml）	测定管	标准管	空白管
血清	0.02	–	–
BUN 标准液Ⅱ	–	0.4	–
二乙酰一肟	0.5	0.5	0.5
酸混合液	4.0	4.0	4.0

计算：

测定管光密度（Du）/标准管光密度（Ds）×0.002×100/0.02＝Du/Ds×10＝血清尿素氮（mg%）

BUN（mmol/L）＝BUN（mg%）×0.357

3. 注意事项

（1）血清、标准液等试剂量应准确。

（2）加入试剂Ⅱ之后，不超过 1～2min，即应放入沸水浴中。

（3）煮沸及冷却时间应准确，否则颜色反应消退。

（4）正常家兔血清尿素氮 14mg%～20mg%，急性升汞中毒性肾病家兔血清尿素氮约为正常值的 1～2 倍。

【附】试剂的配制。

（1）二乙酰一肟　称取二乙酰一肟 20g，加入蒸馏水约 900ml，溶解后再用蒸馏水稀释至 1L，贮于棕色瓶中，放冰箱内保存。

（2）酸混合液　浓磷酸（85%～87%）35ml，浓硫酸 80ml，慢慢滴加于 800ml 水中，冷却后加蒸馏水至 1000ml。

（3）尿素氮标准贮存液（1mg 氮/ml）　称取分析纯尿素 2.143g 加 0.01mol/L 硫酸溶

解，并加至 1000ml 置冰箱内保存。

（4）尿素氮标准应用液Ⅰ（0.025mg 氮/ml） 吸取尿素氮标准贮存液 2.5ml，加 0.01mol/L 硫酸至 100ml。

（5）尿素氮标准应用液Ⅱ（0.005mg 氮/ml） 吸取尿素氮标准应用液Ⅰ20ml，加 0.01mol/L 硫酸至 100ml。

思考题

试分析实验动物血清尿素氮异常的发生机制。

第十一章　人体寄生虫学

实验一　吸虫纲、绦虫纲

【目的要求】

1. 掌握吸虫虫卵和成虫的形态特征。

2. 了解吸虫发育过程中的幼虫各期的顺序。

3. 观察吸虫生活史及中间宿主。

4. 了解绦虫的生活史及成虫、虫卵结构。

【内容与方法】

1. 华枝睾吸虫（肝吸虫）

（1）虫卵　这是蠕虫卵中最小的虫卵。先用低倍镜找到如芝麻样的虫卵，换成高倍镜，调好光线，虫卵前端较窄，后端钝圆略似灯泡。淡黄褐色，卵壳稍厚，有小的卵盖，与卵盖相接处的卵壳向外微凸，形成肩峰，与卵盖相对的一端卵壳增厚，成一逗点状突起，卵内含有亮绿色的块状毛蚴，看不见纤毛及其他结构。

（2）成虫的大体标本　福尔马林固定。葵花籽状，扁平，薄而透明，前端尖细，后端较钝，内部器官可以透见。

（3）第一中间宿主　豆螺或沼螺，新鲜时灰绿色，死后经刷洗成灰白色，壳光滑，螺旋少。

（4）第二中间宿主　淡水鲤鱼科。

（5）病理大体标本　受染华枝睾吸虫的肝脏，在切面上见肝胆管扩张，成虫堵塞在内。

2. 布氏姜片吸虫（姜片虫）

（1）虫卵　这是蠕虫卵中最大的一个。在低倍镜下找到对称的长椭圆形虫卵，两端稍尖，淡黄色。换成高倍镜，将光线调到适度，卵壳甚薄而均匀，一端有小的卵盖，常斜盖，很不明显，另一端卵壳稍增厚，易与卵盖混淆。卵内有一圆形发亮的卵细胞，周围有数十个多边形较大的卵黄细胞，标本新鲜时细胞界限清楚，每个中央有圆形发亮的核仁，固定标本不能看清内含物。注意与肝吸虫、肺吸虫卵的大小比例。

（2）成虫大体标本　福尔马林固定。背腹扁平，长圆形，前端稍尖，后端稍圆，肌肉肥厚，大小相差很大。新鲜时肉红色，固定后为灰白色，靠体前端有一较深的凹陷，即腹吸盘。

（3）第一中间宿主　扁卷螺，形似蜗牛，但个体甚小，螺壳平滑光亮，浅棕色。

（4）第二中间宿主　荸荠、水红菱、茭白等。

3. 卫氏并殖吸虫（肺吸虫）

（1）虫卵　这是中等大小的蠕虫卵，大小变化很大，形状变动多端，类圆形或不对称的长椭圆形，最宽处靠近卵盖端，金黄色，卵盖大则明显，稍斜，盖与壳连接处有缝迹，卵壳薄厚不均，近卵盖端略薄，对卵盖端增厚，内含1个细胞和10个左右团块的卵黄细胞，因是固定标本，卵细胞及卵黄细胞不易分清。

（2）成虫大体标本　卵圆形，肥厚，背面隆起，腹面扁平，有如半粒花生米，新鲜时棕红色，固定后砖青色，内部结构不甚清楚。

（3）第一中间宿主　川卷螺，较大，黑褐色，螺旋粗大，顶端磨损样。

（4）第二中间宿主　石蟹、岳蝲蛄

（5）病理标本　受染肺吸虫的肺脏。肺脏表面有隆起的结节，内含成虫，标本有切开的结节，可见露出的成虫。

4. 日本裂体吸虫（血吸虫）

（1）虫卵　先用低倍镜找到中等大小、宽椭圆形的虫卵，灰黄色或淡黄色，换成高倍镜观察，虫卵无盖，卵壳较薄，呈桔红色，如果位置合适可见前端一侧有钩状的侧棘。卵内含有成熟毛蚴，透过卵壳不能看见纤毛，只能看到块状轮廓和前端的锥状突起，在毛蚴身体周围有油滴状的分泌物，卵壳外常有由坏死组织和血细胞构成的附着物。

（2）毛蚴　卡红染色标本，高倍观察，前端钝宽，有一锥状突起，后端窄，身被纤毛，内部结构已不可辨认。

（3）尾蚴　胭脂红染色标本，高倍镜观察。体部椭圆形，口、腹吸盘及消化系统都不能分辨，仅见很多颗粒，尾部分叉。

（4）成虫大体标本　雌雄异体，但经常合抱。雄虫乳白色、条状，较粗短，雌虫线状较细长，因为肠管内含红细胞消化后残留的色素，故呈深褐色，前半部纤细，后半部稍粗。

（5）中间宿主　钉螺，形如小钉，尖塔状，螺层较多，壳不光滑，呈灰褐色。

（6）病理大体标本　受染血吸虫肝脏与肠系膜。肝表面有很多白色针尖大小的脓肿或虫卵肉芽肿。仔细观察肠系膜静脉中的成虫。

5. 猪带绦虫

(1) 虫卵　用低倍镜找到较小、呈圆形的不完整卵，棕褐色，换成高倍镜，光线调暗，虫卵外面的卵壳脱落，包在外面的圆形球、棕褐色的是胚膜，经过上下调节细螺旋，可以发现胚膜内外层色深，中层色浅，整个胚膜上有放射状排列的密纹，胚膜里面有一圆球形的六钩蚴。虫卵新鲜时，可见六钩蚴的三对小钩。经固定后小钩不清晰，只见胚膜内有球形块。粪检时偶尔查见的带绦虫卵都是这种没有卵壳只有胚膜的不完整虫卵。

(2) 囊尾蚴　从猪肉中剥离出来的囊尾蚴呈卵圆形，外面包以一层薄而透明的囊壁，囊内充满液体，透过囊壁可见囊内有一白点，即凹陷的头节。

(3) 成虫大体标本　福尔马林固定。全长 2~4m，乳白色，体壁较薄，隐约可见内部结构。整个虫体分为头节、颈节和链节三部分。头节球形，很小，颈部极短，紧接在头节后面，以后的节片由此长出。链节最长，又可分为幼节、成节和孕节。猪带绦虫各类节片总数约 800~1000 节。

(4) 病理标本　受染囊尾蚴的肌肉，因固定后组织收缩，囊内液体失去，故上囊的体积较剥离的大体标本为小，结构完全一样。

6. 牛带绦虫

(1) 虫卵　与猪带绦虫卵无法区别，因此，统称带绦虫卵。

(2) 囊尾蚴　从受染的牛肉中剥离出来，卵圆形，外包一层薄而透明的囊壁，囊内充满液体，透过囊壁可见囊内的头节。

(3) 成虫大体标本　福尔马林固定。全长 4~8m，乳白色，体壁较厚，内部结构不能透见。头节略呈方形，节片总数约在 1000~2000 节之间。未成熟节片短而宽，成熟节片几乎呈方形，孕节比猪带绦虫孕节长。

小结和思考题

1. 绘图　肝吸虫卵、姜片虫卵、肺吸虫卵、血吸虫卵、带绦虫卵。

2. 填写 4 种吸虫形态鉴别表：

表 11-1　4 种吸虫形态鉴别

种类	形状	颜色	大小	卵巢特征	睾丸特征	吸盘特征
肝吸虫						
姜片虫						
肺吸虫						
血吸虫						

实验二　线　虫　纲

【目的要求】

1. 掌握蛔虫卵、鞭虫卵、钩虫卵、蛲虫卵及丝虫的微丝蚴的形态特征。

2. 熟悉线虫成虫的外形特征及雌雄虫区别。

3. 掌握班氏微丝蚴和马来微丝蚴的鉴别特点。

4. 了解线虫的生活史及实验检查方法。

【内容与方法】

1. 似蚓蛔线虫（蛔虫）

（1）虫卵　得自患者的粪便。

1）受精卵：先用低倍镜观看，受精蛔虫卵外表不光滑，棕黄色，中等大小，短椭圆形。换高倍镜，可见虫卵外包有一层凹凸不平的蛋白膜，被胆汁染成棕黄色。蛋白膜内是厚而均匀的卵壳（壳质层），呈亮黄色，卵壳内为一圆形的卵细胞，卵壳两端或一端留有半月形空隙，如果留的标本不新鲜，卵细胞可发育到不同卵裂阶段，此时的半月形空隙也就消失，故半月形空隙只有在新鲜的、含有一个卵细胞的受精卵中才有。

2）未受精卵：先用低倍镜找到中等大小、长椭圆形不规则、表面不光滑的虫卵，呈暗棕黄色，甚至有的发黑。高倍镜观察，蛋白膜及卵壳均薄，蛋白膜的起伏并不明显。因未受精卵不能生存，故出现退化变性的现象。卵内未受精的卵细胞变性后成为反光颗粒。此卵大小形状与肺吸虫卵相近，注意区别。

3）脱蛋白膜卵：高倍观察，脱去蛋白膜后，虫卵表面光滑，没有颜色，其他无变化。应注意与钩虫卵相区别。

（2）成虫大体标本　是人体寄生的线虫中最大者，长圆柱形，头部较尾部稍尖，体表光滑；具有细致的环纹。雌雄相差很大，雄虫尾部卷曲，有时可见两根交合刺，雌虫尾部直而钝。

2. 毛首鞭形线虫（鞭虫）

（1）虫卵　得自患者粪便。先用低倍找到较小的虫卵，呈腰鼓状，棕黄色。换高倍镜观察，卵壳厚，分两层，两端有透明塞状突，含一个卵细胞。

（2）成虫大体标本　福尔马林固定。乳白色，形如马鞭，雌虫稍大于雄虫。雌虫前2/3细，后1/3较粗，尾端钝圆；雄虫前3/5较细如鞭，后2/5粗如鞭柄，尾部向腹面卷曲，呈螺旋形。

3. 钩虫

（2）虫卵　取自病人粪便。先用低倍镜暗光线找到中等大小、长椭圆形、无色透明的虫卵。换成高倍镜观察，卵壳极薄，新鲜大便中卵内含 2、4 或 8 个胚细胞。陈旧大便中可有发育到后期的虫卵。

（3）成虫大体标本　福尔马林固定。细长线状，前端稍细，乳白色，雌雄相差不大，雄虫尾部膨大成交合伞；雌虫尾部稍尖。

4. 蠕形住肠线虫（蛲虫）

（1）虫卵　玻璃胶纸法取材。在低倍镜下找到较小、无色透明的卵。换高倍观察，卵呈窄长的椭圆形，不对称，一侧平，一侧凸起。有时因位置关系也可对称。卵壳分 2 层，内含蝌蚪状的或盘曲的幼虫。

（2）成虫大体标本　福尔马林固定。比钩虫小，乳白色，如小线头状，雌雄相差很大。雄虫较小，肉眼可见，尾部向腹面卷曲；雌虫较雄虫大，两头细，中部膨大，略呈长纺锤形，尾部直而尖细，尖细部约占雌虫体长的 1/3。

5. 丝虫

（1）微丝蚴　患者外周血液涂片，染色。先用低倍镜观察，血片中很多溶血后剩下的粒细胞核，染成紫色，在粒细胞核之间可以找到弯曲的小虫。换成高倍镜，调节好光线，可看到微丝蚴外面包有透明无结构的鞘，头尾两部各伸出很长一段，体内有很多核叫做体核，身体前端空一段无核，叫头间隙。分辨两种微丝蚴特点：班氏微丝蚴体态弯曲自如，头间隙的长等于宽，体核大小相等，排列整齐，分界清楚，无尾核。马来微丝蚴体态不自如，僵直，头间隙的长为宽的一倍，体核大小不等，聚集成堆，分界模糊。用油镜观察可见尾部有两个膨大处，各有一尾核。

（2）成虫　丝虫成虫寄生于人的淋巴组织中，不易获得标本。成虫乳白色，肉眼可见，线状，雌虫大雄虫小，雄虫尾部卷曲，雌虫尾部较直。

小结和思考题

1. 绘图　蛔虫卵、鞭虫卵、钩虫卵、蛲虫卵及两种丝虫的微丝蚴。

2. 填写 5 种线虫比较表

表 11-2　5 种线虫比较

虫　种	主要特征	寄生部位	感染部位	感染阶段	感染方式	生活史特点	诊断方法
蛔虫							
鞭虫							
钩虫							
蛲虫							
丝虫							

实验三　原虫、昆虫

【目的要求】

1. 掌握痢疾阿米巴滋养体、包囊的形态特征。

2. 掌握间日疟原虫在红细胞内各期形态。

3. 熟悉阴道毛滴虫滋养体的结构特点。

4. 了解常见医学昆虫的外形特征。

【内容与方法】

1. 溶组织内阿米巴（痢疾阿米巴）

（1）滋养体　病人粪便涂片，铁苏木素染色。先在低倍镜下看到涂片中很多染成蓝黑色的小点，这是痢疾粪便中的红细胞和破溃的组织细胞，找到清晰均匀的地方，见到椭圆形或圆形的小体，灰蓝色，边界分明，为滋养体。高倍镜下核结构清楚，将内质含有红细胞的标本移到视野中心，油镜观察。经固定后，滋养体的形状一般呈椭圆或圆形，极少数见到伪足，内外质不能区分，细胞核圆形，泡状，有蓝黑色，核仁小而圆，位置居中，核膜内缘染色质粒大小均匀，排列整齐，在颗粒状微密的内质中可见黑蓝色、圆形、大小不等的红细胞。

（2）包囊　铁苏木素染色，用低倍镜找到涂片中的许多蓝黑色小圆点，直接换油镜观察。包囊圆球形，染成蓝黑色，包在最外的是囊壁，不着色，核小，结构与滋养体的核相同，1 个到 4 个，囊内可有糖原泡，因固定染色过程中被溶解，故成空泡，有时不止一个。此外还常有棒状的拟染色体（1 个或数个），染成蓝黑色，如果竖立时，可呈圆形。

（3）病理标本　肠切片，HE 染色。低倍镜示教。肠粘膜上有溃疡之处粘膜溃疡，在炎症细胞间可见滋养体，溃疡口较小，滋养体到达粘膜下层后，脓腔向四周扩大，呈烧瓶状，含有坏死组织、嗜酸粒细胞和大量滋养体。

2. 阴道毛滴虫　吉姆萨染色。低倍镜找到涂片中的淡红色小点，用高倍镜找到外形完整、内部结构比较清楚的标本，换油镜观察。阴道毛滴虫呈梨形，核长椭圆形，在虫体前 1/3 处，染成紫红色。一根轴柱纵贯虫体中央，并从末端伸出体外。核前有一圈基粒，由此发出 5 根鞭毛，4 根向前，为前鞭毛；1 根向后，称后鞭毛。波动膜约为虫体的 1/3～1/2 长，无色透明，垂直竖立于虫体一侧。

3. 疟原虫（间日疟原虫）　患者的薄血涂片，吉姆萨染色。先用低倍镜在患者血膜中找到一个细胞厚的视野，移至视野中心，用油镜寻找。

（1）环状体　核圆形、紫红色，细胞质天蓝色，中间为空泡，故呈环状，恰如镶有红宝石的戒指。整个环状体的直径约占红细胞直径的1/3，较少情况下有两个以上的环状体双重感染红细胞，被寄生的细胞基本无变化。

（2）滋养体　早期滋养体细胞质逐渐增多，形状不规则，有时为伪足或空泡，细胞质分布不均匀，核一个，细胞质内出现细小而极小的棕褐色疟色素；晚期滋养体细胞质体积增大，形状较早期滋养体规则，伪足、空泡可有可无，细胞质分布不均匀，核较早期滋养体增大，疟色素增大增多，可见浅红色的薛氏小点。

（3）裂殖体　主要特点是核分裂和疟色素增加。未成熟裂殖体的细胞质继续增多，开始分裂成两个以上，疟色素也增加；成熟裂殖体的核分裂成12~24个，各自聚成紧密小团，细胞质也分裂成相应数目，并包围着核，形成12~24个裂殖子，排列不规则，疟色素聚集成堆，存在于剩余的细胞质中。被寄生的红细胞变化均与滋养体相同。

（4）配子体　最大的特点是整个生长过程中无活动性，故染色后细胞质形状规则，无伪足，无空泡，细胞质分布均匀，1个核，疟色素大而多，多分布于细胞质的边缘。被寄生的红细胞变化同前。

4. 常见医学昆虫　大体标本，注意观察生活史各期一般形态，示教。

小结和思考题

绘图：痢疾阿米巴滋养体和包囊；阴道毛滴虫滋养体；间日疟原虫红细胞内各期形态。

第十二章　预防医学及医学统计方法学

实验一　计量资料统计分析（一）

［目的要求］

掌握统计资料的分类，掌握平均数标准差的计算及应用。

［器材］

函数计算器。

【内容】

1. 何谓计量资料、计数资料、按等级分组资料？现有下列三种资料各属于何种类型资料？

（1）某医院观察了某种药物预防菌痢的效果，结果见表12-1，该资料属于何种类型的资料？

表12-1　两组人群菌痢发病率比较

分组	人数	发病人数	发病率（‰）
实验组	4118	21	5.1
对照组	5217	72	13.8

（2）某医师检查了20名从事某种作业工作工人的血红蛋白含量（g/L），测定结果分别为148，154，143，137，166，141，147，152，153，128，146，170，154，164，152，148，132，138，146，164。该资料属于何种类型资料？

（3）今有四种呼吸系统疾病痰中嗜酸粒细胞含量如表12-2，该资料属于何种类型资料？

表 12-2　四种呼吸系统疾病痰液中嗜酸粒细胞含量

含量	支气管扩张	肺水肿	肺癌	病毒性呼吸道感染
-	0	3	5	3
+	2	5	7	5
++	9	5	3	3
+++	6	2	2	0
合计	17	15	17	11

2. $\overline{X}$、$\overline{X}G$、M_d 及 P_{50}有何异同点？

3. 对一组偏态分布型资料，以95%频数分布的范围来制定正常值有哪几种表示方法？

4. 同一组资料，各观察值同时加（或减）一个常数，或同时乘（或除）以一个常数，其均数和标准差是否会改变？为什么？

5. 均数和标准差有哪几种计算方法？

6. 某地抽样调查了健康成人的红细胞和血红蛋白含量，测定结果见表12-3：

表 12-3　某地健康成人红细胞和血红蛋白含量

指标	性别	例数	均数	标准差	变异系数（%）
红细胞数	男	360	4. 66	0. 57	12. 33
（1×10^{22}个/L）	女	255	4. 18	0. 29	6. 94
血红蛋白含量	男	360	134. 5	7. 10	5. 27
（g/L）	女	255	117. 6	10. 20	8. 67

（1）计算男女红细胞及血红蛋白含量的95%和99%的频数分布范围并说明其意义。

（2）男女红细胞数及血红蛋白含量变异程度何者为大？

练习题

1. 现有100名12岁男孩身高（cm）资料如下，试列出频数分布表，并计算其均数和标准差。

122，123，124，125，126，126，127，127，127，128，128，129，130，131，131，

131，131，132，132，132，133，133，133，133，134，134，134，134，134，135，135，135，135，135，135，136，136，136，136，136，136，136，136，136，137，138，138，138，138，138，138，138，138，138，138，138，139，139，139，139，139，139，139，139，140，140，140，140，140，140，140，141，141，141，141，141，141，141，142，142，142，142，142，143，143，143，144，144，146，146，146，147，147，148，148，150，150，152，152，154。

2. 现有 8 名正常男子血浆量（ml/kg）数值分别为 48.7，50.6，53.7，44.8，50.4，52.5，40.6，49.2。试计算其平均数和标准差。

3. 现有 7 例乙型病毒性肝炎患者血清中 HBsAg 滴度分别为 1∶32，1∶64，1∶128，1∶128，1∶128，1∶256。试计算平均滴度。

4. 某地 100 名儿童接种某种疫苗半年后，测得体内抗体滴度资料如下，求平均滴度。

抗体滴度	1∶8	1∶16	1∶32	1∶64	1∶128	1∶256	合计
例　数	6	18	24	30	16	6	100

5. 某中医院用活血化淤法治疗腰腿痛患者 100 例，治愈所需天数如下，求平均治愈天数。

天数	8-	10-	12-	14-	16-	18-	20-	22-	合计
例数	14	19	24	20	12	6	3	2	100

6. 现有某病患者 8 例，其潜伏期分别为 2，3，4，4，5，5，6，15 天。求平均潜伏期。

实验二　计量资料统计分析（二）

【目的要求】

通过课堂讨论和练习，掌握假设检验的一般步骤，t 检验有关统计量的计算和注意事项。

【器材】

函数计算器。

【内容】

1. 何谓假设检验？其前提是什么？

2. 什么叫抽样误差？为什么会出现抽样误差，其误差大小如何表示？

3. 假设检验中的 $\alpha=0.05$ 或 $\alpha=0.01$，表示什么？当 $t>t_{0.05}$ 时 $P<0.05$ 说明什么问题？

4. 假设检验结果 P 值越小，说明差别越大，这种说法对吗？为什么？

5. 在什么情况下要进行方差齐性检验，当方差不齐时怎么办？

6. 什么是总体均数的可信限？与可信区间有何区别？如何估计总体均

数的可信限或可信区间？

7. 以下四个公式各有何用途？

$\bar{X}\pm s$，$\bar{X}\pm 1.96s$，$\bar{X}\pm S_{\bar{x}}$，$\bar{X}\pm 1.96S_{\bar{x}}$。

8. t 检验有哪几种？以下几组资料各用何种 t 检验进行统计处理。

（1）某医师用某方剂治疗贫血患者 8 例，治疗前后血红蛋白如表 12-4，问该方剂是否会引起血红蛋白含量（g/L）变化？

表 12-4　贫血患者治疗前后血红蛋白的变化

病例号	1	2	3	4	5	6	7	8
治疗前	73	66	68	79	45	64	72	56
治疗后	121	132	108	114	80	86	98	120

（2）抽样调查测得某年某地健康成年女子血红蛋白含量为 125g/L，现测得某厂铅作业女工 9 名，血红蛋白含量分别为 106，113，108，114，116，120，98，102，90g/L，问铅作业女工血红蛋白含量是否低于健康成年女子？

（3）某医院为了研究气管炎患者与健康人痰液中可溶性蛋白电泳血清蛋白/溶菌酶的比值之关系，检测结果如下，问气管炎患者与健康人痰液中两者比值差异有无显著性？

健康人（7 人）　0.43　0.62　0.30　0.40　0.54　0.67　0.70

气管炎患者（10 人）　0.87　0.93　0.84　0.92　1.10　1.34　1.56　1.2　1.40　1.22

7. 某医师为了观察甲、乙两种方剂对小鼠血红蛋白的影响，结果见表 12-5，比较两种方剂对血红蛋白的影响差异有无显著性？

8. 某中药研究室为观察甲、乙两药的扩瞳作用，采用配对研究，观察缩瞳后给甲、乙两药对兔子的扩瞳作用，结果见表 12-6，问两药物有无扩瞳作用，其作用差异有无显著性？

表 12-5　两方剂治疗前后血红蛋白变化（g/L）

编　号	甲　方		乙　方	
	治疗前	治疗后	治疗前	治疗后
1	140	160	120	160
2	120	170	110	170
3	130	150	140	190
4	100	120	150	150
5	140	170	100	160
6	140	190	120	140
7	120	170	140	180
8	110	150	120	170

表 12-6　给药前后瞳孔（mm）变化

对子号	生理盐水组		甲药组		乙药组	
	给药前	给药后	给药前	给药后	给药前	给药后
1	0. 2	0. 4	0. 15	0. 45	0. 20	0. 50
2	0. 3	0. 4	0. 20	0. 50	0. 10	0. 40
3	0. 15	0. 5	0. 20	0. 60	0. 10	0. 60
4	0. 2	0. 4	0. 15	0. 50	0. 20	0. 55
5	0. 3	0. 3	0. 30	0. 60	0. 15	0. 65
6	0. 2	0. 4	0. 20	0. 40	0. 10	0. 60

练习题

1. 已知某生药中锌含量为 10. 8mg/kg，现用某法重测该生药 10 次，含量为 9. 2，10. 3，11. 4，10. 7，11. 2，10. 8，11. 1，10. 6，11. 4mg/kg。问该法测得锌含量与已知含量是否不同？

2. 某中医诊断教研室为了探讨阴虚阳亢与心脏指数的关系，分别对 41 名健康成人和阴虚阳亢患者的心脏指数进行了测定，其结果经初步统计如下，问两者心脏指数差异有无显著性？

健康人　　$n=41$　$\bar{X}=120.0$　$s=34.5$

阴虚阳亢者　$n=41$　$\bar{X}=95.34$　$s=17.37$

3. 现已调查得健康男性工人 625 名的红细胞数，$\bar{X}=4.7\times10^{12}$ 个/L，$s=0.5\times10^{12}$ 个/L，令健康男性工人红细胞数呈正态分布。

（1）求其 $\bar{X}\pm1.96s$ 范围，并说明其意义。

（2）求健康男性工人红细胞数总体均数的95%可信限。

（3）今测得某男性工人红细胞数为 3.8×10^{12} 个/L，问该工人的红细胞数是否正常？

4. 今分别测得14例老年慢性气管炎患者和11名健康人尿中17-酮类固醇排出量（mg/L）如下，试比较慢性气管炎患者与健康人尿中的17-酮类固醇排出量差异有无显著性？

病人：29，54.1，54.8，46.0，40.3，51.0，49.7，42.4，43.6，27.2，23.7，20.9，71.0，59.2。

健康人：51.8，87.9，31.4，64.6，37.2，66.4，56.0，45.7，77.1，49.9，40.1。

5. 某医院用中药治疗9例再生障碍性贫血，观察了六项指标，其中血红蛋白含量变化见表12-7，问治疗前后血红蛋白含量变化是否有显著性？

表12-7 治疗前后血红蛋白含量（g/L）变化

病人号	1	2	3	4	5	6	7	8	9
治疗前	68	35	45	75	50	76	70	65	72
治疗后	120	82	80	112	125	125	110	85	105

实验三 计量资料统计分析（三）

【目的要求】

通过课堂讨论和练习，掌握方差分析和直线相关与回归系数的计算方法，拟合直线回归方程式的基本方法。

【器材】

函数计算器。

【内容】

1. 何谓方差分析？其基本思想是什么？

2. 组间变异和组内变异各表示什么？造成其变异的原因是什么？

3. 方差分析的条件是什么？较t检验有何优点？

4. 某中医研究室为了观察某药不同剂量对三种大鼠体重增长的影响，饲养三个月后称重，所获资料如表12-8，试分析不同剂量对三种大鼠体重增长变化差异有无显著性？

表 12-8　不同剂量三种大鼠体重增长变化

鼠种	0mg/100g 组		0.5mg/100g 组		5mg/100g 组	
	给药前	给药后	给药前	给药后	给药前	给药后
	106	240	160	264	160	290
A	156	262	179	306	172	317
	178	253	158	258	158	288
	164	274	164	284	164	298
B	172	265	172	290	172	320
	168	277	168	286	168	305
	162	286	162	280	160	290
C	166	259	169	290	164	300
	170	260	173	295	170	301

5. 为观察三菱莪术的抑瘤作用，将小鼠分成四组，先致癌，然后观察不同剂量的三菱莪术液的抑瘤作用，观察三周后各鼠瘤重变化见表 12-9，问各剂量组瘤重差异有无显著性？

表 12-9　小鼠各剂量组瘤重（g）变化

2ml 生理盐水（NS）	0.5ml 药+1.5mlNS	1.0ml 药+1mlNS	1.5ml 药+0.5mlNS
3.6	3.0	0.4	3.3
4.5	2.3	1.7	1.2
4.2	2.4	2.3	0
4.4	1.1	4.5	2.7
3.7	4.0	3.6	3.0
5.0	3.7	1.3	3.2

6. X 与 Y 两变量经直线相关与回归分析，得 $r=-0.785$，$b=-0.432$。问 r 和 b 的符号和数量值分别说明了什么？试述它们的联系和区别。

7. 应用直线相关和回归方程时应注意哪些问题？

8. 从某样本资料中算得变量 X 和 Y 之间的相关系数不等于零，能否据此认为 X 与 Y 肯定存在相关关系？为什么？

练习题

1. 某医院用三种疗法治疗某病，将 15 例患者随机分成 3 组，每组 5 名，每人治愈所需天数见表 12-10，问三种疗法疗效差异有无显著性？

表 12-10　三种疗法治愈某病所需天数

甲法	乙法	丙法
3	9	2
7	12	2
7	11	4
6	8	5
2	5	6

2. 某中医院用某方剂治疗高血压患者 10 例，治疗前和治疗后不同疗程舒张压变化见表 12-11，试分析该方剂对治疗高血压是否有效及其不同疗程疗效差异有无显著性？

表 12-11　治疗前后不同疗程舒张压变化（mmHg）

病例号	治疗前	第一疗程	第二疗程	第三疗程
1	120	115	110	113
2	124	110	95	100
3	110	90	86	80
4	116	100	90	90
5	131	110	100	80
6	106	90	100	90
7	110	100	100	80

3. 为了调查某人群身体中某种营养成分与疾病的分布关系，测得主粮中某种营养素含量与人体中该营养素含量如下，试分析主粮中与身体中该营养素含量是否相关？

主粮含量（mg/kg）　4.3　10.0　10.7　12.4　12.5　15.3　18.7

人体中含量（mg/kg）　73.6　170　188　204　244　156　286　270

4. 现有 8 名 10 岁男孩的胸围与肺活量资料如下，问肺活量（ml）与胸围（cm）是否相关？

胸　围（cm）　60　58　64　62　68　70　65　72

肺活量（ml）　1400　1380　1400　1600　1620　1580　1500　1700

实验四 计数资料统计分析（一）

【目的要求】

通过课堂讨论和练习，能正确运用率和比两个相对数指标。对两个率的差异进行 u 检验。

【器材】

函数计算器。

【内容】

1. 表 12-12（4）、（5）栏是何种相对数？各有何意义？

表 12-12 某年某地胃癌死亡情况

年龄（岁） （1）	人口数 （2）	死亡数 （3）	$\frac{年龄组死亡数}{死亡总数}$（%） （4）	$\frac{年龄组死亡数}{年龄组人口数}$（人/万） （5）
<30	217391	0	0	0
30~	50816	4	3.15	0.98
40~	36725	18	14.17	4.9
50~	29482	36	28.35	12.21
60~	20265	47	37.01	23.20
70~	7078	18	14.17	25.43
>=80	952	4	3.15	42.02
合计	352719	127	100.00	3.60

2. 某医师欲从门诊了解某病患病情况与年龄的关系，得到资料见表 12-13，据此该医师认为 30~39 岁组患病率最高，10~29 岁组次之，你是否同意这种看法？为什么？

3. 用甲药治疗慢性气管炎 5 例，其中 4 例痊愈，治愈率为 80%。用乙药治疗慢性气管炎 100 例，其中 70 例痊愈，治愈率为 70%。这两个率哪个更可靠？为什么？

4. 审查表 12-14 资料的计算方法是否正确？

表 12-13　各年龄组病例数

年龄	病例	%
0~	7	3.8
10~	36	19.8
20~	40	19.2
30~	28	22.0
40~	28	15.4
50~	5	15.4
60~	3	2.7
70~		1.6
合计	182	100.00

表 12-14　某年某矿不同工龄尘肺患病率

工龄	检查人数	患者人数	患病率（%）
1~	340	17	5.0
5~	254	30	11.8
10~	432	73	16.9
15~	136	27	19.9
合计	1162	147	12.65

5. 什么叫标准化率？以表 12-15，表 12-18 试述标准化率的意义和用途。

表 12-15　某医院成人、儿童患者新疗法和一般疗法病死率比较

分组	新疗法			一般疗法		
	治疗人数	死亡人数	病死率%	治疗人数	死亡人数	病死率%
成人组	100	10	10.0	50	5	10.0
儿童组	50	20	40.0	100	40	40.0
合计	150	30	20.0	150	45	30.0

表 12-16 某年某地男女心血管病患病情况

死亡原因	男性		女性		男：女（比值）
	死亡人数	%	死亡人数	%	
肺心病	20000	40	16000	32	1.25：1.00
风心病	12000	24	12000	24	1.00：1.00
冠心病	8000	16	10000	20	1.00：1.25
先心病	2000	4	4000	8	1.00：2.00
其他	8000	16	8000	16	1.00：1.00

6. 某年某地平均人口为 10 万人，在本年初有某病病人 80 人，本年内又有新发病例 20 人，并有 20 名病人在本年内死亡，据此计算：

（1）该年该病的发病率为多少？

（2）该年年底（12 月 31 日）该病患病率为多少？

（3）该年该病的死亡率为多少？

（4）该年该病的病死率为多少？

7. 根据随机原则进行抽样调查，甲县的 4000 名儿童蛔虫感染率为 15%，乙县的 3000 名儿童感染率为 18%。

（1）甲、乙两县蛔虫感染率有无显著差异？

（2）甲、乙两县分别有儿童 8 万和 10 万名，每个感染者需服 2 片驱虫灵，试问甲、乙两县计划购买多少片驱虫灵？（按 95%可信限计算）

8. 某年某地居民患心血管病死亡资料如表 12-16：

据此有人认为，男女两性都以肺心病死亡较严重，风湿性心脏病次之；肺心病死亡男性较女性严重。而冠心病死亡女性较男性严重。你是否同意这一看法，为什么？

练习题

1. 某文作者根据表 12-17 资料，认为沙眼 20 岁组患病率高，年龄愈大患病率愈低。你同意该作者的结论吗？为什么？

2. 某年某地甲、乙两医院住院病人病死率见表 12-18，比较两院总病死率高低。

3. 为检查某地钩虫感染情况，检查男性 200 人，发现阳性 60 人；女性 150 人，发现阳性 30 人，问男女钩虫感染程度差异有无显著性？假设该地区男女人口比为 1：1，总人口为 1 万人，试以 95%的可信限估计该地区至少有多少人感染钩虫？

4. 用复方南天竹和抗生素分别治疗小儿上呼吸道感染，疗效见表 12-19，试比较两组疗效差异有无显著性?

表 12-17　某医院门诊病人各年龄患病情况

年龄	就诊人数	%
0~	47	4.6
10~	198	19.3
20~	330	32.1
30~	198	19.3
40~	128	12.4
50~	80	7.8
60~	38	3.7
70~	8	0.8
合计	1027	100.0

表 12-18　甲乙两医院病死率比较

科别	甲院			乙院		
	住院病人数	死亡人数	病死率%	住院病人数	死亡人数	病死率%
内科	2000	80	4.0	1500	90	6.0
外科	1000	20	2.0	1500	45	3.0
其他	3000	120	4.0	2500	50	2.0
合计	6000	220	3.67	55000	185	3.36

表 12-19　不同疗法疗效比较

分组	有效例数	无效例数	合计	有效率（%）
复方南天竹	45	16	61	73.77
抗生素	48	7	55	87.27
合计	93	23	116	80.17

实验五　计数资料统计分析（二）

【目的要求】

通过课堂讨论和练习，掌握 χ^2 检验的方法和注意事项；了解 χ^2 检验的基本思想。

【器材】

函数计算器。

【内容】

1. χ^2 检验有何用途？

2. 何谓 χ^2 检验的理论值？如何计算？

3. 进行 χ^2 检验要注意哪几个问题？

4. 某医师收治了100例临床确诊的佝偻病患儿，入院时分别进行了血生化检查与X线片检查，其结果见表12-20。欲了解两法何者较敏感，试设计一整理表，并指出统计处理方法和步骤。

表12-20　100例佝偻病患儿生化、X线片检查结果

血生化检查	X线片检查	例　数
+	+	35
–	–	40
–	+	15
+	–	10

5. 某传染病院用云芝糖浆治疗慢性和迁延性肝炎60例，以常规疗法为对照，疗效见表12-21，试分析哪种疗法对哪种肝炎疗效较好？

表12-21　不同疗法的疗效比较

	疗　法	有效例数	无效例数
迁延性	云芝糖浆	23	3
	常规疗法	13	6
慢性	云芝糖浆	30	4
	常规疗法	10	6

6. 某医院用甲、乙两种疗法治疗同种疾病，各病例治愈所需疗程见表12-22。试比较两法疗效差异有无显著性？

表 12-22 甲、乙两种疗法疗效比较

病例对子号	治愈所需疗程		病例对子号	治愈所需疗程	
	甲　法	乙　法		甲　法	乙　法
1	1	2	16	1	1
2	1	1	17	3	2
3	2	3	18	2	1
4	1	1	19	1	1
5	×	3	20	×	3
6	1	1	21	3	1
7	2	1	22	1	1
8	1	1	23	2	1
9	1	2	24	3	×
10	2	2	25	×	×
11	×	3	261	2	1
12	1	1	27	1	1
13	1	2	28	1	1
14	3	×	29	2	1
15	×	×	30	2	2

注：“×”表示治疗 3 个疗程后未愈。

7. 某中医院用三种疗法治疗肾结石，治疗前各组患者肾结石严重程度见表12-23，问各组患者肾结石严重程度是否基本一致？

表 12-23 各组患者肾结石严重程度分布

组别	例数	+	++	+++	++++
中医	20	5	4	4	7
西医	17	5	3	2	7
中西医	20	5	3	3	9
合计	57	15	10	9	23

8. 某防治所眼科在中小学观察了三种矫治近视眼措施的效果，近期疗效见表 12-24。结论为“近期疗效以夏天无眼药水最好，保健操次之，新医疗法最差”。你认为这个结论是否正确？试进行分析与评价。

表 12-24　三种矫治近视措施的近期疗效

矫治方法	观察例数	痊　愈	显　效	无　效	有效率（%）
夏天无眼药水	35	5	8	22	37.78
新医疗法	32	2	4	26	18.75
眼保健操	18	2	3	13	27.78
合计	85	9	15	61	

练习题

1. 某中医院儿科用两种疗法治疗绦虫病，不同疗法其疗效见表 12-25，比较两种疗法的疗效差异有无显著性？

表 12-25　不同疗法驱虫效果

疗　法	有效例数	无效例数	合　计
槟榔合剂	22	5	27
阿的平	24	12	36
合计	46	17	63

2. 某医师用中医辩证施治某病，观察不同年龄对疗效的影响，结果见表 12-26。据此该医师认为“20~40 岁组有效率高、疗效较好，而<20 岁和>40 岁组有效率低、疗效差”。你是否同意这一看法？为什么？

表 12-26　不同年龄疗效比较

年龄（岁）	例　数	有效例数	有效率（%）
<10	12	8	66.67
10~	21	14	66.67
20~	26	20	76.92
25~	30	22	72.22
30~	335	26	74.29
40~	13	9	69.23
50~	16	11	68.75
合计	153	110	71.89

3. 某医师对急性缺血性脑血管病患者的舌象与疗效的关系进行了观察，结果见表12-27。问舌象与疗效是否有关系？

表 12-27　不同舌象其疗效比较

舌　象	观察例数	有效例数	%
紫舌质	25	18	72.00
非紫舌质	29	27	93.31
合计	54	45	83.00

4. 请对讨论题中的第7题进行统计分析。

实验六　非参数统计分析（一）

【目的要求】

通过课堂讨论和练习，掌握秩和检验的方法和注意事项；了解非参数统计的特点。

【器材】

函数计算器。

【内容】

1. 秩和检验有哪些优点？

2. 秩和检验有哪些缺点？

3. 进行秩和检验必须注意哪些问题？

4. 两样本比较的秩和检验，检验假设是否可以用 $\mu_1=\mu_2$ 表示？为什么？

5. 为什么在不同对比组间出现相同数据要给予“平均秩次”，而同组中的相同数据不必计算平均秩次？

6. 某中医院试以肉桂加减方治疗16例晚期血吸虫病顽固性腹水患者，治疗前后腹围变化见表12-28。问治疗前后腹围（cm）差异有无显著性？

表 12-28　血吸虫病患者治疗前后腹围变化

病例号	1	2	3	4	5	6	7	8	9
治疗前	80	92	84	90	81	92	88	98	84
治疗后	72	86	76	80	81	78	81	84	80

7. 某医院将 20 例作胃大部分切除术患者分成两组，手术时分别用针刺麻醉和硬脑膜外麻醉，观察手术后出现肛门排气时间（h），结果见表 12-29，问两种麻醉方法术后肛门排气时间是否有差别？

表 12-29　两种麻醉方法术后排气时间

麻醉方法	出现排气时间（h）									
针麻	48	51	60	53	44	54	38	40	47	62
硬脑膜外麻	55	72	68	71	80	64	74	52	76	48

8. 某中医研究所为了探讨肾虚与某生化指标的关系，分别对肾阴虚、肾阳虚各 12 例和健康人 10 名中的尿 17-羟皮质激素含量（mg/dl）进行了测定，资料见表 12-30。问肾阴虚或肾阳虚是否与 17-羟皮质激素含量有关？

表 12-30　健康人与肾虚患者尿 17-羟皮质激素含量

组　别	含　量（mg/24h）									
健康人	8.0	7.8	7.3	8.5	9.1	8.3	7.4			
肾阴虚	6.3	5.5	7.1	6.7	5.8	7.0	6.4	5.8	6.0	6.8
肾阳虚	4.0	4.1	3.8	5.1	4.7	3.7	4.4	3.0	4.3	4.5

9. 某医院对 45 例施行同一手术的患者随机分成两组，分别采用不同穴位针麻，麻醉效果见表 12-31。问两组针麻效果差别有无显著性？

表 12-31　两组穴位针麻效果比较

穴位组	优	良	有效	无效
甲组	11	8	4	2
乙组	4	4	5	7

10. 某医师为了探讨人体不同部位中某微量元素正常含量，检测了 100 名健康成人不同部位的该元素含量，检测结果见表 12-32。问不同部位该元素量差异有无显著性？

表 12-32　不同部位某元素含量（ppm）

含　量	心　脏	肝　脏	肺　部	肾　脏
<1	23	0	0	0
1~	37	14	8	0
10~	20	45	13	0
50~	12	30	16	20
100~	8	10	28	40
150~	0	1	20	30
200~	0	0	15	10
合计	100	100	100	100

练习题

1. 某实验室观察局部湿热治疗小鼠移植性肿瘤的疗效，以生存天数为观察指标，结果见表 12-33。试比较两组小鼠发癌后生存天数差异有无显著性？

表 12-33　两组小鼠发癌后生存天数比较

分　组	生存天数												
实验组	10	12	15	16	18	18	20	21	23	23	25	25	26
对照组	6	8	8	8	7	10	15	10	11	12	12	14	14

2. 某药理研究所为了观察某药对肝功能的影响，给药 6 周后，测定家兔转氨酶值。结果见表 12-34。问不同剂量组间转氨酶值差异有无显著性？

表 12-34　家兔六周后转氨酶测定值

剂量（mg/kg）	转氨酶值							
0.2	91	90	101	102	130	122	124	136
0.4	100	100	88	90	98	110	122	116
0.8	80	70	70	80	84	96	76	100
1.6	43	45	53	60	48	76	70	56

3. 请对讨论题中第 9 题进行统计分析。

实验七　非参数统计分析（二）

【目的要求】

通过课堂讨论和练习，掌握 Ridit 分析的用途和分析方法。

【器材】

函数计算器。

【内容】

1. Ridit 分析适用于何种资料？

2. 比较以下资料的统计分析结果，试述 Ridit 分析与 χ^2 检验和秩和检验有何区别？

某医院用甲、乙两种疗法治疗同种疾病，不同疗程疗效见表 12-35～12-37。

表 12-35　第一疗程疗效比较

疗法	痊愈	显效	好转	无效	合计
甲	4	26	60	10	100
乙	8	33	44	15	100

统计分析结果：

$\chi^2=5.6254$　　$P=0.1313$

$H=0.920$　　$P=0.3367$

$R_{甲}=0.5179$　　$P=0.3805$

$R_{乙}=0.4821$

表 12-36　第二疗程疗效比较

疗法	痊愈	显效	好转	无效	合计
甲	4	42	46	8	100
乙	14	28	50	8	100

统计分析结果：

$\chi^2=8.5222$　　$P=0.036$

H = 0.0206　　　　P = 0.8859

$R_{甲}$ = 0.5027　　　　P = 0.8949

$R_{乙}$ = 0.4973

表 12-37　第三疗程疗效比较

疗　法	痊　愈	显　效	好　转	无　效	合　计
甲	20	30	42	8	100
乙	34	30	30	6	100

统计分析结果：

χ^2 = 5.9153　　　P = 0.1150

H = 5.3831　　　P = 0.0203

$R_{甲}$ = 0.5452　　　P = 0.0268

$R_{乙}$ = 0.4548

3. 某中医院儿科为了观察某种药物在不同穴位注射治疗小儿瘫痪的临床疗效，入院治疗患儿按入院顺序随机分成四组，治疗前对各组患儿患肢肌力进行检测，结果见下表。问不同穴位组患肢瘫痪严重程度是否基本一致？经治疗 2 个月后，治疗结果见表 12-38、39。问不同穴位疗效差异有无显著性？

表 12-38　治疗前各组患肢瘫痪程度

病　情	第 1 穴位组	第 2 穴位组	第 3 穴位组	第 4 穴位组
全瘫	14	12	13	10
重瘫	58	48	50	40
轻瘫	76	67	60	59

表 12-39　不同穴位疗效比较

疗　效	第 1 组		第 2 组		第 3 组		第 4 组	
	上肢	下肢	上肢	下肢	上肢	下肢	上肢	下肢
无效	10	7	19	31	24	30	19	30
好转	29	40	22	28	16	22	16	20
显效	17	27	7	14	10	17	7	13
痊愈	6	12	2	4	1	3	2	2
合计	62	86	50	77	51	72	44	65

练习题

1. 某医院对45例患者施行同种手术，将其随机分成两组，分别采用不同穴位针麻，麻醉效果见表12-40，问两组麻醉效果差异有无显著性意义？

表12-40　不同穴位针麻效果比较

穴位组	优等	良好	有效	无效	合计
甲组	11	8	4	2	25
乙组	4	4	5	7	20
合计	15	12	9	9	45

2.《中医杂志》1983年第6期报道用梅花针治疗神经衰弱96例，资料见表12-41。试分析不同病型疗效差异有无显著性？

表12-41　不同病型疗效比较

病型	治愈	显著	进步	无效	合计
心肺两虚	8	28	11	1	48
肺郁气滞	6	19	7	0	32
心肾不交	1	8	6	1	16
合计	15	55	24	2	96

实验八　小鼠急性静式吸入中毒实验

【目的要求】

掌握小白鼠急性静式吸入中毒的基本方法；了解空气污染对机体的危害，及其危害程度与毒物剂量的关系。

【实验材料】

1. 器材

10L广口玻璃瓶6只（洗净晾干），滤纸6张，1ml或2ml吸管5根，吸球5个，50ml棕色试剂瓶5只。

2. 试剂

苯（化学纯）或其他挥发性毒物。

3. 动物

健康雌或雄性（同一性别）小白鼠，体重为18~22g。

【内容方法】

1. 动物准备　选体重为18~22g健康小鼠48只，随机分为6个组（一个对照组、五个实验组），将小鼠放入10L广口瓶。

2. 选择浓度　各浓度组中应包括全部动物死亡的最低致死浓度，全部动物存活最高浓度。各组浓度按等比级数安排，选用的级数应根据药品纯度、毒性、动物条件等情况而定。本次实验选用的等比级数为1∶1.15，全组动物存活的最高浓度为31mg/m³，全部动物死亡的最低浓度为160mg/m³，按等比级数计数出5个实验组的各自浓度为31，46.5，69.5，104.6，156.9mg/m³。

3. 计算用药量　按以下公式计算各组用药量：

$$A=\frac{K\times L}{d\times 1000}$$

式中A：所需毒物量（ml）

K：各实验组浓度（mg/m³）

L：广口玻璃瓶容积（L）

d：被检毒物的比重（g/ml）

4. 静式吸入中毒　用三层滤纸做好滴药装置，悬挂于广口瓶中央，将各实验组所需药液用吸管准确而迅速滴加在滤纸上，注意不要滴入瓶底，盖紧瓶盖，记录染毒时间。

5. 观察记录实验结果　观察动物在染毒后各症状出现时间及死亡时间，记入表中，观察动物吸毒1.5小时后各剂量组死亡情况，同时记入表12-42中。（注：在实际工作中动物应吸毒2小时，观察7天内的死亡情况。）

表12-42　小鼠中毒情况记录表

日期	室温	毒物品名	浓度	症状出现时间（min）										死亡情况
				兴奋	抓鼻	笔状尾	呼吸加速	痉挛	呼吸困难	反应下降	深麻醉	侧卧	其他症状	

思考题

1. 中毒症状和死亡情况与染毒剂量和时间有何关系？大气污染对机体健康有何危

害？

2. 为什么药液不能滴入瓶底？为什么要设对照组？

实验九　有机磷农药中毒动物解救实验

【目的】

通过本实验了解有机磷农药的毒性作用、中毒症状和解救中毒的措施。

【实验材料】

1. 器材

婴儿秤一台，注射器（2ml×2.5ml×1ml），瓷盘，米尺，培养皿，家兔固定架。

2. 药品

15%敌百虫溶液，硫酸阿托品注射液（0.5mg/ml），解磷定（0.5g/20ml），75%酒精。

3. 动物

健康家兔1只，体重1.5~2.0kg。

【内容方法】

1. 取家兔1只称重（kg），观察染毒前的体征情况填入表12-43。

表12-43　动物体征及病症情况登记表

体重（kg）	用药		体征							症状出现或改善时间（分）
	药名	剂量（mg/kg）	呼吸次/分	瞳孔（mm）	唾液分泌	大小便	肌肉震颤	抽搐	肌张力	

2. 按150mg/kg的剂量，经耳缘静脉注射15%敌百虫溶液给家兔染毒，观察各体征变化及症状出现的时间，并填入表中。

3. 按0.5mg/kg剂量，经耳缘静脉注射阿托品进行抢救，观察症状改善情况并填入表中，必要时可重复注射阿托品。

4. 按25mg/kg剂量，经耳缘静脉注射解磷定进行抢救，观察症状改善情况并填入表中，必要时可重复注射解磷定。

思考题

1. 有机磷农药中毒主要出现哪些症状？

2. 用阿托品和解磷定解救有机磷中毒时，为什么要早期给药、足量给药和联合给药？

实验十　传染病流行过程的分析

【目的要求】

通过课堂讨论，了解传染病流行过程的分析方法；并对造成流行的因素进行分析，同时提出防疫措施和方法。

【调查材料】

1. 一般情况

某年3月20日某教学点接诊了一例急性中毒型菌痢病人，随后又接诊了多例同种病人，这些病人均来自附近某乡的西津村。4月中旬乡卫生院的卫生防疫人员下到该村进行调查，了解到该村的第一村民小组正在发生菌痢流行，已当即采取了措施，控制了流行。

调查材料如下：

第一村民小组共有51户，304人，全部于去年某县水库建设工地迁来，是新成立的移民新村。初来时盖了一些简单的临时性房屋，住得比较拥挤。全村房子都围绕在一个小山坡的南面，自东往西分成三个片，称为上围、中围与下围，上围82人，中围109人，下围113人。全村共有水井三个，分布于三个片，位于中围的水井比较正规，有井台，但无井栏，其他两口井都是泉水，上围的水井已干枯，有8个月没有使用，下围的井泉水量大，水从泉眼流出后在洼地形成一个小池塘，直径约2米，池中水满后即顺着小沟流到山坡下，许多居民在水沟旁洗衣、洗菜，然后从池中打水回家做饭。全村共有5个厕所，其中两个临时性，3个新建，没有三隔化粪池，也未封闭，苍蝇孳生甚多。全村无集体食堂，分散在家做饭。

2. 第一村民小组年龄分布

年龄	0~	5~	10~	15~	20~	30~	40~	50~	60~
人数	53	45	40	31	33	35	22	22	23

3. 第一村民小组菌痢发病情况见表12-44。

表 12-44 第一村民小组菌痢发病情况

全户人数	户主	患者姓名	与户主关系	性别	年龄（岁）	发病地点	发病日期
8人	杨石均	杨石均	/	男	40	上围	4月5日
		杨正光	妻	女	39	上围	10日
		杨　霞	女	女	14	上围	15日
		杨　英	女	女	16	上围	15日
		杨志坚	子	男	2	上围	4日
3人	杨少智	杨文广	子	男	2	上围	4月3日
6人	杨正孟	杨小珍	女	女	2	上围	3月23日
6人	杨正家	杨仁军	子	男	5	上围	3月27日
8人	杨观三	杨梅熊	孙	男	4	上围	3月29日
9人	杨开元	刘葵英	妻	女	40	中围	4月10日
		杨开元	/	男	42	中围	1日
		杨金莲	女	女	12	中围	5日
		杨小兰	女	女	7	中围	3日
9人	杨汉迁	杨安奇	子	男	8	中围	3月31日
		杨志方	子	男	3	中围	23日
7人	杨亚炎	杨亚旺	子	女	27	中围	4月10日
		杨金飞	孙	女	5	中围	3日
		杨正勤	孙	女	3	中围	3日
6人	杨云和	杨希川	孙	男	2	中围	4月2日
9人	杨石如	刘王风	妻	女	26	中围	4月10日
		杨俊新	子	男	5	中围	4日
		杨亚娣	妹	女	12	中围	3月27日
		杨级娇	母	女	53	中围	29日
7人	杨达叔	杨正田	妻	女	29	中围	4月5日
		杨正凤	母	女	65	中围	3月25日
		杨照团	子	男	7	中围	28日
10人	杨添胜	叶亚娣	妻	女	32	中围	4月6日
		杨继胜	父	男	75	中围	1日
		杨健雄	子	男	6	中围	6日
		杨葵英	女	女	3	中围	12日

续表

全户人数	户主	患者姓名	与户主关系	性别	年龄（岁）	发病地点	发病日期
		袁亚永	母	女	69	中围	8日
		杨秀清	子	男	16	中围	3月29日
5人	杨白苟	杨得儿	弟	男	13	中围	3月29日
6人	杨永安	杨永安	/	男	55	下围	3月29日
7人	杨乔女	黄火英	妻	女	45	下围	4月1日
6人	杨绍继	杨移兰	孙女	女	5个月	下围	5日
7人	杨照生	杨照生	/	男	54	下围	1日
8人	杨华榕	杨辛姐	女	女	13	下围	10日
		杨金兰	女	女	10	下围	3日
		杨　群	女	女	6	下围	1日
6人	杨观辉	杨观耀	妻兄	女	30	下围	3月20日
6人	杨日锋	巫严娣	妻	女	30	下围	28日
		杨　斌	子	男	10	下围	4月3日
3人	杨正福	杨朝安	子	男	2	下围	4月30日
6人	杨正胜	杨焕云	子	男	4个月	下围	4月8日
		杨春光	子	男	5	下围	10日
		* 杨毕迁	子	男	3	下围	3月20日
5人	杨石照	杨区谨	女	女	6个月	下围	3月31日

注：全部患者过去无菌痢病史。“*”表示已死亡。

【流行过程分析】

1. 按急性菌痢流行发病日期，作出此次暴发流行的发病人数分布图。
2. 计算三个片的各自发病率和该村菌痢总的发病人数和发病率。
3. 计算各年龄组的发病率。

讨论的问题与防疫措施

1. 此次菌痢暴发流行有哪些流行病学特征？
2. 分析此次菌痢流行的因素、传染源和传播途径。
3. 提出控制或消灭此次菌痢流行的防疫措施。

第三篇　综合设计实验

第十三章　人体重要器官的形态结构综合比较观察

【目的要求】

综合、比较观察肝、肺、胃、肾等人体重要器官的正常和病理标本，模具及组织切片；复习和加深理解与掌握形态学科的理论知识，培养综合分析问题、解决问题的能力。

【实验材料】

肝，胃，肺，肾的正常和病理大体标本，模具，挂图及组织切片。

【内容和方法】

在以前的学习过程中，已经学习了人体解剖学、组织胚胎学、病理解剖学，对肝、肺、胃、肾的大体解剖、组织结构及其病理变化都有了较深的了解。但在实验教学中，经常会碰到这样的问题，学到后面的，忘了前面的，学到病理的，忘记了正常的。形态学科的实验大都是观察人体器官的大体与显微形态结构，实验内容直观、具体、一目了然，集中一定的时间对人体重要器官肝、肺、胃、肾的大体与显微、正常与病理的形态结构综合比较观察，复习和加深理解，掌握已学的理论知识，培养综合分析问题和解决问题的能力。

就人体器官的大体与显微、正常与病理的形态结构来说，可以从以下几个方面来综合观察和分析。

（一）肉眼可见的大体形态结构

1. 器官的外表、形态、结构、大小。人体器官有特定的形态、结构及大小，一旦受到破坏，会引起一定的变化，如缺损或隆突，增大或缩小，重量增加或减少等。

2. 色泽和质地。正常的器官由于组织结构的不同，具有一定的色泽和质地，发生病变也会引起一定的变化。如充血时变红或变暗；缺血时苍白；坏死糜烂时灰暗；脂肪变性时变为奶黄色；组织充血，萎缩炎症时变得较硬等。

3. 剖面结构（内部结构）。剖面结构是观察器官的内部结构，注意观察正常和病理结构上的差异，病灶的性质和大小等。

（二）组织学结构

1. 低倍镜下比较正常和病理的整体组织结构全貌，如结构层次和成分的变化，观察病变组织的病变性质、范围。

2. 高倍镜下观察正常和病理细胞及细胞间质的特征，如细胞的大小、形态、位置及排列、胞浆及胞核的染色特征等。

实验一 肝的形态结构综合比较观察

实习内容见表13-1。

表13-1 肝的大体和显微、正常和病理形态结构

	大体形态结构	显微形态结构
正常肝脏	外形为楔形可分为上下两面、前后两缘、左右两叶。前缘锐利，后缘钝圆。肝表面呈轻微的分叶状纹理。色泽为棕红色，软而脆	低倍镜下：典型的肝小叶，内有中央静脉，肝细胞呈放射状排列，肝细胞索之间为肝血窦。几个肝小叶间为汇管区，内有小叶间动脉、静脉及胆管 高倍镜下：肝细胞为多角形，核圆形，细胞清晰，胞质染成红色。肝血窦内皮细胞呈梭形，核扁，紧贴肝细胞。库普弗枯否细胞呈星形，核卵圆形
脂肪肝	肝脏体积增大，表面光滑，边缘光滑。色泽呈奶黄色，看不出纹理，触之有油腻感	低倍镜下：正常肝组织结构面目全非，只看到中央静脉，周围有少量残存的肝细胞索 高倍镜下：肝细胞浆内充满圆形空泡，核被挤到一边
肝硬化	门脉性肝硬化：体积缩小，重量减轻。表面有颗粒状、大小一致的结节。坏死后肝硬化：肝脏缩小变形，表面可见粗大的及大小相差十分悬殊的结节 切面可见结节，结节呈黄褐色或黄绿色，质地变硬	低倍镜下：肝小叶正常结构消失，由大小不等的肝细胞团代替，周围由致密的结缔组织围绕，形如小岛，其中可见中央静脉偏位，有的有两个或三个中央静脉 高倍镜下：纤维组织内有小淋巴细胞为主的炎性细胞浸润，并有许多小胆管样结构

续表

	大体形态结构	显微形态结构
肝淤血	体积增大,重量增加,边缘变钝 新鲜时切面上可见暗红色与黄褐色条纹相交错存在,呈槟榔状	低倍镜下:肝小叶中央静脉及周围的淤血互相沟通,肝细胞索变窄,边缘不齐等萎缩现象 高倍镜下:肝细胞内有空泡
肝癌	体积明显增大,肝癌肉眼可分为结节型、巨块型、弥漫型 肝被膜下的癌结节向表面隆起。癌组织较正常组织质地软,癌灶呈灰色或黄色 切面可见多数大小不等或巨块型的、与周围组织境界清楚的结节	组织学上肝癌可分为三型,肝细胞型,胆管上皮型和混合型。肝细胞型,肝细胞多为多角形,胞浆丰富,核大而深染,瘤巨细胞多见,常呈索状或小梁状排列

实验二　胃的形态结构综合比较观察

实验内容见表13-2。

表13-2　胃大体和显微、正常和病理形态结构

	大体形态结构	显微形态结构
正常胃	外形为"J"型,分为前后两壁,上下两缘 胃粘膜呈淡红色,质地柔软。胃空虚时粘膜有许多皱襞,皱襞内有许多小沟,交织成网,分隔胃粘膜形成小区,每个胃区有许多胃小凹	低倍镜下:胃的结构分为四层,粘膜层、粘膜下层、肌层和外膜,粘膜层又分为上皮、固有膜和粘膜肌层 高倍镜下:上皮为单层柱状上皮,固有膜中有大量的胃底腺,其中有主细胞、壁细胞和颈粘液细胞
慢性萎缩性胃炎	粘膜变薄,皱襞减少、平滑,粘膜表面呈细颗粒状,胃镜检查见胃粘膜灰暗,可见粘膜下的血管走行	低倍镜下:粘膜萎缩变薄,腺体变短 高倍镜下:间质中有较多淋巴细胞浸润,甚至形成淋巴滤泡,胃腺中壁细胞消失,主细胞减少,而粘液细胞增加,常可见粘膜上皮化生成具有小肠粘膜特点的上皮细胞
胃溃疡	多位于胃小弯,尤多见于胃窦部 溃疡圆形或椭圆形,直径1~2cm,边缘整齐,底部平坦而干净	粘膜受到严重破坏,正常的结构消失,变成溃疡,溃疡壁由浅向深可分四层:①渗出物;②坏死层;③肉芽组织层;④瘢痕组织层
胃癌	好发于胃窦部,常隆起如息肉,或表浅之糜烂,或凹陷成较浅之溃疡	组织学上分为四种:①腺癌;②髓样癌;③硬癌;④粘液癌 腺癌最常见,癌细胞大多呈柱状,排列成腺腔,腺腔内可出现许多乳头

实验三　肺的形态结构综合比较观察

实验内容见表 13-3。

表 13-3　肺的大体和显微、正常和病理形态结构

		大体形态结构	显微形态结构
	正常肺	外形略呈锥体形，分为一尖、一底、两面及三缘，表面平滑，湿润而有光泽，呈海绵状，比重等于1 小儿为淡红色，成人呈深灰色，老年人呈蓝黑色	低倍镜下：肺内小支气管不规则，固有膜有不完整的平滑肌和混合腺，外膜中可见片状透明软骨，细支气管上皮仍为假复层柱状纤毛上皮，柱状细胞减少，环行平滑肌相对增多，无腺体和软骨。可明显区分出肺的呼吸部四种结构，即呼吸性细支气管、肺泡管、肺泡囊和肺泡 高倍镜下：肺泡间可见小孔，相邻肺泡间结缔组织为肺泡隔，内有弹性纤维和丰富的毛细血管，此外还可见巨噬细胞
大叶性肺炎	充血水肿期	病变肺叶肿胀，重量增加，色泽暗红 切面能挤出较多量的血性浆液	肺泡壁毛细血管扩张，肺泡腔内有较多的浆液性渗出物，内有大量肺炎双球菌，少量红细胞、中性粒细胞及巨噬细胞
	红色肝变期	病变肺叶肿胀，重量增加。色泽暗红，质地变实如肝。切面呈颗粒状	肺泡壁毛细血管扩张，肺泡腔充满渗出物，内有大量红细胞、纤维素，中性粒细胞及巨噬细胞
	灰色肝变期	肺叶仍肿胀 色泽灰白贫血状，质地变实如肝。切面干燥，呈颗粒状	肺泡腔内充满红染纤维素和中性多核细胞，色泽灰白，贫血状，质地变实。红细胞较少，肺泡壁变薄，毛细血管关闭，相邻肺泡内的纤维素网，借纤维素丝穿过肺泡孔面互相连接
	肺气肿	体积显著增大，边缘变钝，表面可见肋压迹，色泽灰白色，柔软、缺乏弹性，指压后留有压痕 切面有许多大小不等的薄壁囊腔，状如海绵或蜂窝状	低倍镜下：支气管和细支气管呈慢性病变 高倍镜下：肺泡膨胀，间隔变薄，间孔扩大，肺泡相互合成大囊腔，肺泡壁的毛细血管床数明显
	小叶性肺炎	重量增加，质地变实 肺切面可见大小不一，形态不规则，色暗红或带黄色的病灶，略隆起，平滑而不呈颗粒状	病灶中心为一细支气管，支气管粘膜上皮部分脱落，管腔中充满炎性渗出物（包括周围的肺泡），病灶之间的肺泡呈代偿性肺气肿

续表

	大体形态结构	显微形态结构
肺淤血	肺体积增大，重量增加，质地较硬。切开时有血性或淡红色泡沫状液体流出	毛细血管明显扩张，充满红血球，肺泡间质有轻度的纤维组织及炭末细胞的沉积。部分肺泡有水肿液。有少量红细胞及大量胞浆中充满铁血素的巨噬细胞
急性粟粒性肺结核	双肺充血，重量增加，表面分布微隆起的灰白色或灰黄色大小一致的结节。色泽暗红，质地变实 切面可见大小一致、分布均匀的灰白色或灰黄色的小结节	低倍镜下：肺组织内散布着许多大小形态基本一致的结核结节 高倍镜下：结节中心可见干酪性坏死，周围有上皮细胞及郎格汉斯（郎罕）细胞，周围有少量纤维组织及淋巴细胞浸润

实验四　肾的形态结构综合比较观察

实验内容见表13-4。

表13-4　肾的大体和显微、正常和病理形态结构

	大体形态结构	显微形态结构
正常肾脏	外形呈蚕豆状，表面光滑 新鲜时表面的皮质为红褐色，中间的髓质为淡红色	低倍镜下：皮质由肾小体和肾小管组成，髓质主要由肾小管和集合小管组成 高倍镜下：肾小体为一团红色的球状结构，外包有一囊腔。近端小管曲部上皮为较大的锥体形，胞浆丰富染成红色，游离而有刷状缘，远端小管曲部上皮染成粉红色，管腔大而不规则，上皮为立方形，较小。髓质中的细段为单层扁平上皮
急性肾小球肾炎（弥漫性增生型）	肾脏体积增大，包膜紧张，表面光滑，色泽鲜红色，有时可见出血点。切面上看皮质增厚，纹理模糊不清，有时有出血点	肾小体体积增大，血管内皮细胞和血管间隙增生水肿，肾小管上皮细胞可发生浊肿或轻度脂肪变性，管腔内可见透明管型或细胞管型，间隙有中性白细胞和少量纤维素渗出
慢性肾小球肾炎（硬化性）	双肾对称性缩小，表面可见弥散性，大小一致的细颗粒。色泽苍白，质地变硬。 皮质萎缩变薄，纹理不清，有时有细小的囊肿形成。小动脉硬化，动脉切口哆开	肾小球发生纤维化和透明变性，体积缩小，成为玻璃样小体，小部分肾小球呈代偿性增大，肾小管部分萎缩消失，部分扩张，间质增生

第十四章　大鼠实验性胃、十二指肠溃疡

【目的要求】

掌握复制大鼠胃、十二指肠溃疡的方法及其判断标准。

【实验材料、内容和方法】

（一）应激法

以各种强烈的损伤性刺激，造成动物发生应激性溃疡。该溃疡发生机制，可能由于强烈刺激，使机体处于应激状态，引起下丘脑功能障碍，垂体前叶分泌大量促肾上腺皮质激素，使胃液分泌增加。

1. 材料

大白鼠，恒温水浴槽，大鼠固定板，10ml 注射器，乙醚，10%中性福尔马林。

2. 方法

（1）取体重 250~300g 大白鼠，给水，禁食 24 小时，乙醚麻醉后，仰缚于鼠板上，系牢。

（2）待鼠清醒后连同固定板，将鼠直立浸入 20~23℃的恒温水浴槽内，水面平剑突处。

（3）水浸应激 20 小时后，放血处死，剖开腹腔，在幽门和十二指肠连接处，穿线结扎，经食道注入 10%中性福尔马林 10ml 到胃内，再结扎贲门。

（4）10 分钟后，将胃取出，沿胃大弯剪开检查，一般溃疡病变多个，沿血管走向分布，表面常覆盖凝血，擦去凝血，可见深褐色条状溃疡。

（5）计算溃疡指数和溃疡抑制百分比为观察指标。

溃疡指数=溃疡长度的总和毫米数

$$\text{溃疡抑制\%}=\frac{\text{对照组溃疡长度总和}-\text{实验组溃疡长度总和}}{\text{对照组溃疡长度总和}}\times 100\%$$

该方法简便，成功率可达 90%以上，溃疡表浅，发生于胃或十二指肠粘膜，有时在两处同时发生，病程经过短而易于愈合。类似于人类服用某些药物，如过量肾上腺皮质激素、水杨酸制剂等，或由于严重的创伤、烧伤、败血症及手术引起的应激性溃疡。

（二）幽门结扎法

本方法是根据胃液消化作用及应激原理设计，具体方法如下：

1. 材料

大白鼠，消毒小手术器械一套，分规，钟罩，大鼠固定板，乙醚，75%酒精，2.5%碘酒，棉球。

2. 方法

（1）取体重 250~300g 大白鼠，给水，禁食 48 小时，置钟罩内以乙醚麻醉后，仰缚于鼠板上。

（2）剪去腹部被毛，用碘酒、酒精消毒皮肤，自剑突下沿腹中线作腹壁切口，长约 2~3cm。于幽门穿线（勿伤及血管），将幽门结扎（避开近血管），然后缝合腹壁切口，归笼。禁水，禁食。

（3）经 18 小时后，将鼠放血处死，打开腹腔，按上述应激法取胃（欲作胃液分析者，注入福尔马林前，胃壁穿刺抽取全部胃液待查）。沿大弯剪开，展平，检查胃粘膜溃疡数、溃疡程度、溃疡面积及病变情况。

溃疡程度，按病变情况可分为四级：

一级（糜烂）d（溃疡直径）<1mm

二级（小溃疡）1mm$<d<$3mm

三级（大溃疡）d$>$3mm

四级（有穿孔）

溃疡面积的测量与计算方法：用分规测出溃疡最大纵径和横径。

以公式 $S=(d_1/2)+(d_2/2)\pi$ 计算。式中 S 为溃疡面积，d_1 为最大纵径，d_2 为最大横径，π 为圆周率。

本实验结扎后必须绝对禁水、禁食，防止动物吞食尿液，否则将使胃液稀释，如结扎后给予镇静剂或制酸剂，可使病变减轻，而用促进胃酸分泌的药物，如组胺，则能加剧病变。

该模型发生快，病变浅表，严格说仍属胃粘膜急性出血性糜烂，与人类溃疡病的典型病变差距较大，可用于溃疡病药物研究和病因学探讨。

（三）醋酸法

此法可选择复制胃或十二指肠溃疡模型造模方法。可经胃或十二指肠壁浆膜面注入醋酸，也可将醋酸作用于胃或十二指肠壁的浆膜面上，分别造成慢性胃或十二指肠溃疡，具体分述如下：

1. 醋酸注入法

（1）材料

大白鼠，消毒小动物手术器械一套，钟罩，0.25ml 注射器及 26 号针头各 1 只，乙醚，醋酸，75%酒精，2.5%碘酒。

（2）方法

①取 250~300g 大白鼠，置钟罩内用乙醚麻醉后，仰缚于鼠板上，剪去腹部被毛，用碘酒、酒精消毒皮肤。自剑突下剖开腹壁，切口长约 2~3cm，暴露胃，选择好所要诱发溃疡的部位，一般在胃体部和幽门窦交界处，诱发胃溃疡；在十二指肠球部前壁处诱发十二指肠溃疡（图 14-1）

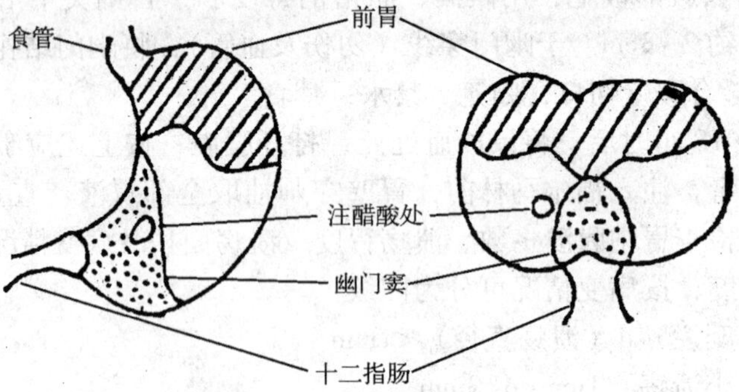

图 14-1　胃、十二指肠溃疡醋酸法示意图

②用 26 号针头及有 0.01ml 刻度的 0.5ml 注射器，抽取到 10%~20%醋酸，经浆膜刺入，透过胃或十二指肠壁肌层向粘膜注入 0.01~0.05ml。缝合腹壁，常规饲养。

③注射 3 天后，将动物放血处死，按应激法取胃。十二指肠溃疡则在十二指肠距幽门约 1cm 处结扎，其余方法均同。

④测量胃或十二指肠与周围脏器粘连面积，求出粘连指数，在解剖显微镜或放大镜下测量溃疡最大纵径、横径和深度，求出溃疡指数。

⑤溃疡组织可用 10%福尔马林固定，石蜡包埋切片，HE 染色，显微镜检查，观察其组织学变化。

【注意事项】

（1）注射醛酸时，针头切勿穿透粘膜，否则会注入胃腔。

（2）注射时及注射后拔针前，用手指压住针眼，以防醋酸漏出。

（3）溃疡大小、深度与醋酸浓度密切相关。一般 20%醋酸注入 0.01ml，所致溃疡直径为 4~6mm，40 天后痊愈。若注入 0.05ml，所致溃疡直径可达

8~12mm，100~200天仍可见明显溃疡，约5%动物因溃疡穿孔而死亡。病变也可与附近脏器粘连。

附录：溃疡指数与粘连指数计算方法（仿Okabe法）

表14-1　溃疡指数计算方法

面积（长×宽）(mm^2)	指数 深度（mm） <2	≥2
0	-	-
1~4	1	2
5~20	2	3
21~40	3	4
41~	4	5

表14-2　粘连指数计算法

粘连指数	0	1	2	3	4	5
粘连面积（mm^2）	0	1~20	21~40	41~80	81~160	161~

2. 醋酸渗透法

用100%冰醋酸直接作用于胃或十二指肠浆膜面，诱发相应部位粘膜面溃疡。

（1）材料

大白鼠，消毒小动物手术器械一套，钟罩，0.25ml注射器，小圆玻璃管（内径5~6mm，长2mm，口钝），滤纸，载玻片，乙醚，100%冰醋酸，灭菌生理盐水，75%酒精，2.5%碘酒。

（2）方法

①取250~300g大白鼠，给水，禁食48小时，置钟罩内用乙醚麻醉。然后仰卧固定，剪去腹部被毛，自剑突下沿正中线作长2~3cm切口，剖开腹腔，将胃前壁向上置于载玻片上，用小玻管紧扣于胃体与幽门交界的中部近小弯侧或十二指肠球部前壁浆膜上（避开血管）。

②向管内注入100%冰醋酸0.05ml，留置0.5分钟后，吸出醋酸，移去玻璃管，用滤纸吸干残留醋酸，再用灭菌生理盐水反复冲洗三次，此时可见

局部组织颜色灰白，如烧灼状。抽出玻片，用大网膜覆盖创面，缝合腹壁，常规饲养。

一般3~7天后，相应粘膜面即出现溃疡（渗透性溃疡），40~60天愈合。

③3~7天后，放血处死动物，检查胃或十二指肠与周围脏器粘连情况，算出粘连总面积。检查溃疡大小、深度（方法同上述醋酸注射法），求出粘连指数与溃疡指数（方法见上法表14-1、表14-2）。

醋酸法复制胃或十二指肠溃疡的优点是溃疡单个，部位、大小、深浅可控制，病变呈慢性进程，与人类胃或十二指肠溃疡较近似。适用于溃疡发病学和治疗学的研究。

小结和思考题

胃酸增多和精神过度紧张在溃疡病发病中的作用？

第十五章 肾虚动物模型的制作

【目的要求】

了解中医肾虚的动物模型制作原理，掌握其制作方法。

中医学实验所建立的动物模型，是根据中医理论的命题或学说，在一定的条件下，用实验动物再现人体生理和疾病的特征。由于“证”是中医学认识疾病的特有概念，目前在中医学实验研究方法进行最多的是建立各种“证”的动物模型。而肾虚动物模型是建立最早的中医动物模型。

肾虚动物模型建立的方法很多，以下介绍的是肾上腺皮质激素型肾虚动物模型的建立方法。

【原理】

大剂量糖皮质激素多日使用，可使动物全身处于耗竭状态，出现体重下降，胸腺、脾脏、肾上腺萎缩，免疫力下降，动物外貌反应迟钝，拱背少动，竖毛等，与人类肾阳虚证类似，用助阳补肾药治疗可改善症状，具有治疗作用。

【实验材料】

雄性小鼠，体重25~35g，醋酸氢化可的松等。

【内容和方法】

每只小鼠每日肌肉注射0.75或1.0或1.25mg醋酸氢化可的松，连续8~10天，作以下记录和检测：

1. 观察和记录在注射药物后每日动物的反应。大剂量皮质激素注射动物后5~10天，动物外观竖毛、毛无光泽，拱背少动，反应迟钝，呼吸深迟，严重时可发生死亡。挟尾倒挂试验阳性，或有尿液白浊，体重下降或增长缓慢，耐受能力降低。也可在给药一周内动物多动、活动警觉、多食、多饮，一周后表现上述现象。

2. 称取动物每日的体重。

3. 注射后第8天、第15天处死动物，称取胸腺、脾脏、肾上腺的重量。

4. 注射后第8天，第15天处死动物，取肝、脾作组织切片，检查组织结构的改变（见第一篇，组织切片技术）。

5. 注射后第8天，第15天处死动物（同上），作肝脏DNA、RNA、糖原的组织化学检查（见第一篇，组织化学和细胞化学技术）。

第十六章　中药对免疫功能作用的实验研究

【目的要求】

了解和初步掌握中药对免疫功能作用的实验设计、常用观察指标及实验方法，培养一定的科研意识和能力。

中医学把人体的功能活动及抗御和消除各种有害因素的作用，总称为“正气”。

近年来，大量的实验资料表明，许多中药对机体的免疫功能具有调节作用，能改善和调整因免疫受损而产生的病理状态。

影响免疫功能的实验方法很多，进展很快。因为无论免疫增强药或抑制药，它们都可能在机体免疫过程的不同环节起作用。因此，应采用涉及免疫过程主要环节的多种实验方法及观察指标进行研究。本实验研究选用补益类中药黄芪、灵芝等对免疫系统作用确切的中药。或查阅有关资料，确定中药种类，观察中药对机体非特异性免疫、体液免疫及细胞免疫的作用。目的是掌握基本的免疫学实验方法的科研设计、观察指标及基本实验技术，为今后的中医药药理研究、新药开发打下基础。

常用的影响非特异性免疫功能的实验方法有免疫器官重量法、胸腺和脾细胞计数法、外周粒细胞计数、细胞吞噬功能等；测定体液免疫功能的方法有溶血素测定、单向免疫扩散等；测定细胞免疫功能的方法有，外周血T细胞计数及淋巴细胞转化试验、淋巴细胞的细胞素试验—天然杀伤（NK）细胞活性的测定等。

实验动物选用成年小鼠，随机分成给药组、对照组，给药组口服中药水煎剂（如灵芝、黄芪等），连续7~10天，末次给药后作下列实验。

实验一　免疫器官重量测定

【原理】

免疫兴奋剂多可使免疫器官（胸腺、脾脏等）增重，而免疫抑制剂则可使之减轻，且可用该指标观察中药对已知免疫抑制剂所致免疫器官减轻的对抗作用。

【实验材料】

普通扭力天平，剪刀，镊子，滤纸等。

【内容和方法】

眼眶放血处死动物，剥取脾脏、胸腺，扭力天平称重，胸腺、脾重量以mg/10g 体重表示。

【注意】

胸腺和脾脏称重前，必须把其他组织分离干净。

实验二 腹腔巨噬细胞功能测定

【原理】

于动物腹腔注入鸡红细胞后，可被腹腔巨噬细胞吞噬，注入定量鸡红血细胞，隔一定时间后，吸取腹腔巨噬细胞，镜检其吞噬活动性，并以吞噬百分率及吞噬指数的高低表示吞噬细胞吞噬功能的大小。

【实验材料】

显微镜，注射器，剪刀，镊子，试管，吸管，吉姆萨染液等。

【内容和方法】

1. 每鼠腹腔注射1%~5%（V/V）鸡红细胞（CRBC）0.5ml。

2. 于给 CRBC 后 1~12 小时，颈椎脱臼处死小鼠。

3. 剪开腹腔皮肤，腹腔注射 Hanks'溶液或生理盐水 2ml，轻揉小鼠腹部后，吸取腹腔冲洗液。

4. 滴片、晾干后，Giemsa-Wright 染液染色，油镜观察。或将腹腔冲洗液分滴于两片载玻片上，放入垫有湿纱布的搪瓷盆内 37℃温育 30 分钟，孵毕，于生理盐水中漂去未被吞噬的 CRBC 及其他细胞，吹干，1∶1 丙酮∶甲醇溶液固定 5 分钟，4%Giemsa-Wright 染液染色 3 分钟，晾干后油镜观察。

计数 100 个吞噬细胞，按下列公式计算吞噬百分率及吞噬指数。

$$吞噬百分率=\frac{吞噬\ CRBC\ 的吞噬细胞数}{100\ 个吞噬细胞}\times 100\%$$

$$吞噬百分率=\frac{被吞噬的\ CRBC\ 数}{100\ 个吞噬细胞}$$

鸡红细胞悬液的制备：于无菌操作下，自鸡翼下静脉采血，置 100ml 疫菌瓶中，加入相当于鸡血体积 5 倍的 Alsevers's 液（枸橼酸三钠 · $2H_2O$ 8.0g 柠枸橼 0.5g，无水葡萄糖 18.7g，氯化钠 4.2g，蒸馏水加至 1000ml，过滤，分装，10 磅高压 20 分钟，4℃冰箱保存备用）。混匀，4℃冰箱贮存，可用 2

~4 周。临用时用生理盐水洗涤 3 次，前 2 次离心速度为 1500r/min，离心 5 分钟，弃上清液和界面的粒细胞层，最后应连续 2 次离心（2000r/min，5 分钟），直至红细胞压积值恒定，按此值用生理盐水配成所需浓度的红细胞悬液（V/V）。

【注意事项】

1. 应用本法时，动物最好避免腹腔注射给药，否则易致阳性结果。

2. 腹腔吸出液体若为血性则不宜使用。

3. 载玻片一定要干净，否则由于载玻片不洁或腹腔液过浓，冲洗时会使玻片上的薄膜完全脱落。

4. 所留细胞过少的玻片应弃除，以免影响结果。

实验三　体液免疫测定
——鸡红细胞作免疫原的溶血素测定片

【原理】

正常小鼠受鸡红细胞免疫后，即可产生抗鸡红细胞抗体（溶血素），这种抗体，在体外与鸡红细胞、补体一起温育，即可使鸡红细胞溶解，释放出血红蛋白，使溶液呈红色。颜色的深浅反应了红细胞溶出量的多少，而红细胞溶血与血抗体含量有关。因此，测定其上清液的光密度，则可间接判断血清中抗体形成的数量，光密度越大，则说明抗体产生量越多，反之亦然。

【实验材料】

722 分光光度计，恒温箱，离心机，冰箱，微量加样器，剪刀，镊子，试管，吸管等。

【内容和方法】

每鼠腹腔注射 5%生理盐水鸡红细胞悬液 0.2ml 进行免疫，免疫后 7 天，动物处死取血，离心，取血清用生理盐水稀释 100 倍。取稀释液血清 1ml 与 5%鸡红细胞悬液 0.5ml，10%补体 0.5ml 混匀，在 37℃恒温箱中保温 30 分钟后，0℃冰箱中中止反应。

离心，取上清液于 722 分光光度计 540nm 对比色，测定光密度，另设不加血清的空白对照组，取其上清液做比色时调“0”的空白对照组，以光密度（OD）读数作为判定血清溶血素的指标，比较各组的差异。

【注意事项】

小鼠血清的稀释及吸取量一定要准确。

实验四　细胞免疫测定

（一）外周血液中T淋巴细胞酶标记染色法

【原理】

因T细胞浆中含非特异性醋酶简称ANAE，可水α-醋酸萘酯，生成α-萘酚和醋酸根离子。前者可与六偶氮副品红偶联生成不溶性红棕色沉淀物，而B淋巴细胞缺少此酶，故可用醋酶染色测出外周血液中的T淋巴细胞。

【实验材料】

酸度计，显微镜，六偶氮副品红，α-醋酸萘酯。

【内容和方法】

1. 小鼠剪去尾梢0.2mm，取血推片，自然风吹干后，浸入孵育液（预热30分钟），37℃孵育3小时。自来水冲洗片刻，用滤纸吸干水珠，加1%孔雀绿溶液染色5~10分钟，自来水冲洗，滤纸吸干，晾干后检查（油镜）。

2. 淋巴细胞核较大且呈圆形不分叶，染成绿色，胞浆呈蓝紫色。T淋巴细胞即ANAE阳性细胞，胞浆中呈现出大小和数量不等的黑红色颗粒（一般为2~5个），非T淋巴细胞胞浆中无此颗粒。

3. 计数100个淋巴细胞，计算T淋巴细胞的百分比，比较给药与对照小鼠外周血中的T淋巴细胞百分比的差异。正常小鼠（昆明种）外周血中T淋巴细胞在59%~72%之间。

【注意事项】

1. 控制pH是本实验的成败关键。

2. 孵育液需临用前新鲜制备。

（二）淋巴细胞转化试验

PHA淋巴细胞转化试验——^{3}H-TdR参入法。

【原理】

T淋巴细胞受PHA激活后，进入细胞周期行有丝分裂，当进入细胞周期S期时，细胞合成DNA含量明显增加，在培养基中加入^{3}H标记的DNA前身物质胸腺嘧啶核苷（TdR），则作为合成DNA的原料被摄入细胞，摄入到新合成的DNA中，根据同位素参入细胞的量则可推测淋巴细胞对刺激物的应答水平，参入的同位素，经液体闪烁仪测出，将每分钟脉冲数（cpm）加以计算，用不同公式表示结果。

【实验材料】

1. 1640 培养液。

2. PHA。PHA 溶液有粗制品和精制品两种，最好对选择的制品先测定最适浓度，一般为 50~200mg/ml。

3. 脂溶性闪烁液，POPOP（1,4 双（2'-5'）苯基恶苯）0.4g，PPO（2.5-二苯基恶）4g。将 POPOP 0.4g 加少量二甲基，置 37℃ 水溶液溶解后，再加 PPO 4g，并用二甲苯补足至 1000ml。

4. 49 型玻璃纤维滤纸。

5. 96 孔细胞培养板。

6. 多头细胞收集器，抽气泵，闪烁杯。

7. β-液体闪烁计数器。

【内容和方法】

1. 无菌分离淋巴细胞，用 1640 液稀释使细胞浓度为 1×10^6 个/ml，加入微量细胞培养板，每孔 100μl。

2. 每孔加入 PHA100μl，每个样品加 3 孔，另 3 孔不加 PHA 做对照。加盖置 37℃ 培养。

3. 56 小时后，每管加入 1μCi ^{3}H-TdR，继续培养 16 小时。

4. 用多头细胞收集器将每孔培养物分别吸于 24mm 直径的圆形玻璃纤维滤纸上，抽气过滤。

5. 将滤纸放 80℃ 烘干约 1 小时后，分别将每片滤纸浸于脂溶性闪烁液中，每杯 5ml。

6. 在 β-液体闪烁计数器上测定每杯样品 cpm 的值。

7. 结果：将 PHA 刺激组和对照组各组的平均 cpm 值，代入下列公式计算 PHA 刺激指数（SI）

$$SI=\frac{\text{PHA 刺激管中 cpm 平均值}}{\text{对照组管中 cpm 平均值}}$$

实验五　外周血中 NK 细胞活性的检测

【原理】

自然杀伤细胞（NK 细胞）是一类杀伤靶细胞时既不需要特异性抗体参与，也不需抗原预先致敏的淋巴细胞。NK 细胞主要存在于外周血、脾脏和骨髓中，该细胞对多种肿瘤细胞有迅速杀伤和溶解作用，对癌细胞具有监视作用。通过检测机体外周血液中 NK 细胞的活性，可了解机体抗肿瘤免疫功能，同时为临床肿瘤病人的预后和转归提供依据。检测 NK 细胞活性有多种方法，现介绍形态学方法。

【实验材料】

1. 靶细胞（K_{562}培养细胞）的制备。

（1）于试验前 24 小时将 K_{562}细胞培养物换液，吹打后置孵箱培养。

（2）试验前将 K_{562}细胞经 1640 培养液洗 1 次，离心 1000r/min 6 分钟。

（3）取 30U K_{562}细胞悬液，加入 0. 5%台盼蓝液 30μl 混匀，镜下观察并计数，不着色细胞为活细胞，蓝染细胞为死细胞。数 100 个细胞，活细胞要达到 95%以上，然后计数，将细胞调整至 2×10^6 个/ml，备用。

2. 效应细胞（淋巴细胞）的制备

（1）按常规方法分离人体外周抗凝血淋巴细胞，用 1640 液洗两次（离心 1000r/min，6 分钟），再加入 1640 液 2ml，将细胞移至培养瓶中，置 37℃1 小时，使细胞充分贴壁。

（2）取出培养瓶并翻转，使单核细胞与淋巴细胞分离。

（3）取淋巴细胞悬液 10ml，加入白细胞稀释液 90ml，使红细胞溶解，于粒细胞计数盘计数，将细胞调整为 1×10^7 个/ml。此时效应细胞与靶细胞之比为 50∶1。

3. 0. 5%台盼蓝。

4. 15%FCS-PRIM-1640 培养液。

5. 显微镜，粒细胞计数盘，孵箱，40 孔培养板，移液器等。

【内容和方法】

1. 取 40 孔培养板，对照组 1~3 孔，每孔加 K_{562}细胞悬液 100μl 再加入 1640 培养液 100μl。实验组 4~6 孔，每孔加 K_{562}细胞 100μl，再加入淋巴细胞悬液 100μl，混匀，置 37℃，孵箱或 37℃温箱过夜。

2. 取出培养板，将培养细胞轻轻混匀成悬液，从每孔中取 30μl，加等量 0. 5%台盼蓝液混合，于粒细胞计数盘计数。

3. 对照组和用药组各计数 100 个 K_{562}靶细胞，分别记录死亡细胞数和活细胞数，求出均值：

【结果】

$$\text{NK 细胞活性}=\frac{\text{实验组靶细胞死亡数}-\text{对照组靶细胞死亡数}}{100}\times100\%$$

【注意事项】

常规分离外周抗凝血淋巴细胞。